Ela confiou na vida

Coordenadora editorial: Tânia Lins
Coordenador de comunicação: Marcio Lipari
Capa e projeto gráfico: Jaqueline Kir
Diagramação: Rafael Rojas
Preparação: Janaina Calaça
Revisão: Equipe Vida & Consciência

1ª edição — 2ª impressão
5.000 exemplares — agosto 2022
Tiragem total: 155.000 exemplares

CIP-BRASIL — CATALOGAÇÃO NA PUBLICAÇÃO
(SINDICATO NACIONAL DOS EDITORES DE LIVROS, RJ)

L972e

Lucius (Espírito)
Ela confiou na vida / [psicografado por] Zibia Gasparetto.
- 1. ed. - São Paulo : Vida e Consciência, 2015.

ISBN 978-85-7722-473-9

1. Romance espírita 2. Obras psicografadas I. Gasparetto, Zibia. II. Título.

15-27491 CDD: 133.93
CDU: 133.9

Este livro adota as regras do novo acordo ortográfico (2009).

Vida & Consciência Editora e Distribuidora Ltda.
Rua das Oiticicas, 75 – Parque Jabaquara – São Paulo – SP – Brasil
CEP 04346-090
editora@vidaeconsciencia.com.br
www.vidaeconsciencia.com.br

ZIBIA GASPARETTO

Romance ditado pelo espírito Lucius

As coisas boas

só ocorrem quando estamos
conectados com o bem.

Prólogo

Madrugada. Na colônia Campos da Paz, um grupo de espíritos deixava um dos prédios, volitando rumo à crosta terrestre. Na frente, uma jovem de rara beleza, rosto suave, cabelos castanhos, seguia de braços dados com Josias e Lauro. Atrás, estavam duas mulheres, concentradas, mentalizando energias de luz sobre os três.

Pouco depois, iluminados pelos primeiros raios de luz que prenunciavam o novo dia, eles desceram em uma favela do Rio de Janeiro, pairando sobre um barraco por alguns instantes.

Os cinco uniram as mãos em prece, e Josias pediu emocionado:

— Senhor, estamos aqui, cheios de coragem e de amor, dispostos a fazer o melhor para realizar todos os projetos que acariciamos há tanto tempo. Ajude nossa boa vontade, inspirando-nos. Fortaleça Milena em sua trajetória terrestre, permita que possamos apoiá-la nos momentos de dificuldade e abençoe-nos com sua paz.

Josias abraçou Milena, que permanecera de cabeça baixa, e sentiu o quanto ela estava angustiada.

— Calma, querida. Pense que estaremos ao seu lado em todos os momentos!

Milena estremeceu, levantou a cabeça e fixou-o assustada:

— Estou com medo, muito medo! Eu pensei que estivesse preparada, pronta para voltar, mas estava enganada. Sinto que ainda não está na hora de eu reencarnar. Quero regressar para Campos da Paz!

Enquanto Milena soluçava aflita, os quatro abraçaram-na com carinho. Depois, Lauro alisou os cabelos da jovem dizendo:

— Coragem, filha! Está tudo certo. Você está reagindo ao magnetismo pesado deste local. Acalme seu coração.

— Vou esquecer o passado e tudo que aprendi. Preciso de mais tempo, aprender mais, ficar mais forte.

— Você vai esquecer parte das lembranças. O passado continuará vivendo em seu subconsciente e sua intuição é suficientemente forte para auxiliá-la em todos os momentos. O importante é não dar importância às interferências negativas, que fazem parte da atmosfera da Terra e podem impressionar sua mente. Lembre-se de que seu espírito tem a luz divina dentro de si e anseia pela manifestação do bem. Agindo de acordo com o que sente no coração, você terá condições de realizar tudo o que deseja — esclareceu Josias e continuou: — Coragem. Lembre-se de que você é um espírito eterno, criado à semelhança de Deus. Ele colocou dentro de você tudo de que precisa para desenvolver e fazer brilhar sua luz! Confie!

Milena levantou a cabeça com altivez e em seus olhos havia um novo brilho, quando ela respondeu:

— Tem razão. Desculpem minha fraqueza. Vamos em frente! Estou pronta.

— Graças a Deus! — disseram os quatro ao mesmo tempo.

Nesse momento, um raio de luz amarela e brilhante desceu do alto sobre eles, e os cinco penetraram no barraco através do telhado. Na cama, um casal estava deitado.

Ele, negro, forte, de uns trinta anos, estava adormecido; ela, branca, franzina, aparentando vinte e poucos anos, revirava-se na cama respirando com dificuldade.

O grupo postou-se ao redor do casal. Milena ficou atrás da cabeceira, estendeu as mãos sobre eles enquanto os demais faziam o mesmo.

Josias aproximou-se da mulher que dormia, colocou a mão direita sobre o peito e a esquerda sobre a testa dela e, aos poucos, sua respiração foi se normalizando.

O rapaz acordou, olhou-a preocupado e perguntou:

— Você está bem?

— Eu não estava, mas melhorei. Amanhã vou passar no médico. Vamos ver se ele me atende.

O homem colocou a mão sobre a barriga da mulher:

— Se eu estivesse trabalhando, teria dinheiro para pagar um médico particular. Quero que nosso filho venha com saúde.

— Ontem conversei com dona Lurdes. Ela me disse que meu caso precisa de médico.

— Como ela pode saber? Não é estudada nem nada.

— Mas ela tem cinco filhos, entende disso.

Enquanto eles conversavam, dois espíritos doavam-lhes energias, passando as mãos pelos pontos magnéticos do corpo do casal durante certo tempo, e, no final, estenderam as mãos sobre a testa de cada um, irradiando-lhes pensamentos bons.

— Sabe, Joana... — disse ele de repente e continuou: — Hoje vou sair para procurar emprego. Estou sentindo que uma coisa boa vai acontecer.

A mulher abanou a cabeça negativamente:

— Não sei não. Você tem procurado tanto! Vida de pobre é assim... tudo é difícil!

— Eu não vou desistir. Estou disposto a pegar qualquer coisa.

— Ontem, eu fui ao centro da dona Áurea e ela me deu a cesta do mês. Veio também algumas roupinhas de nenê. Ela mesma fez os sapatinhos de lã. Uma beleza!

— Ainda há gente boa neste mundo. Não podemos desanimar. Vai dar tudo certo. Nossa vida vai melhorar.

Ela pensou um pouco e tornou:

— Gostaria de acreditar nisso. Se pelo menos eu me sentisse melhor, poderia ir à casa da dona Vera para passar roupa, ganhar algum dinheiro.

— Nada disso. Seu estado pode piorar. Enquanto não passar pelo médico, não vai trabalhar.

Estava clareando, quando ele se levantou e ela fez menção de erguer-se.

— Fique deitada. Eu vou fazer o café e esquentar o pão.

— Desse jeito, até parece que estou doente. Eu só estou grávida.

— Você já sofreu um aborto e, desta vez, eu não quero que isso aconteça. Deixe que eu faço o café. Aproveite, porque é só agora! Quando eu souber que está bem, vou abusar.

Joana sorriu e respondeu:

— Pare com isso, Gerson. Não quero lembrar essas coisas.

Ele acendeu o fogo e, enquanto a água fervia, lavou o rosto e vestiu-se. Depois, coou o café, esquentou o pão, colocou café nas duas canecas, entregou uma para ela, que, recostada no travesseiro, apanhou a bebida quente e se sentou, por fim, na beira da cama. Entre um gole e outro de café, ela comentou:

— Até que você fez um café gostoso.

— Não vá se acostumar! É só enquanto estiver de repouso.

Joana riu e perguntou:

— Você me disse que vai procurar emprego, mas tem dinheiro para a condução?

— Não, mas eu me viro. Tenho boas pernas.

Joana suspirou triste e depois disse:

— Não quero que dê conversa para o Nicola. Não gosto dele. Acho que anda metido com gente perigosa. Ele vive atrás de você. O que tanto ele quer?

— Não sei, Joana. Ele é cheio de conversa difícil, se julga muito inteligente, não trabalha, de vez em quando descola grana, não se sabe de onde, mas eu também não confio nele. Não quero me meter em confusão. Meu pai sempre me ensinou que o melhor negócio ainda é o trabalho.

— Ainda bem. Ele era tão bom! Pena ter morrido tão moço. Não sei por que gente boa morre cedo. Já nos maus, que vivem atentando os outros... nada pega neles. Vivem bem.

— Não acredito nisso. A maldade tem volta e um dia a casa cai. Bem, eu já vou. Aproveite para descansar — Gerson beijou a esposa com carinho e saiu descendo o morro.

Uma das mulheres do grupo de espíritos acompanhou-o, enquanto no barraco Josias e Lauro se despediam de Milena.

— Nós precisamos ir, mas estaremos unidos. Se precisar de qualquer coisa, é só nos chamar — disse Josias abraçando Milena.

— Dalva ficará com você. Não se preocupe com nada. Tudo está sob controle. Estamos juntos — tornou Lauro.

Eles se foram, e Milena desabafou com Dalva:

— A energia daqui ainda está pesada.

— É que os dois estão preocupados, com medo do futuro. A ligação magnética entre você e eles já começou. Joana está menos confiante do que Gerson, e você está sentindo o magnetismo dela.

— Às vezes, sinto vontade de deixar este lugar, sair correndo e voltar para Campos da Paz.

Dalva alisou os cabelos de Milena com carinho e disse:

— Aos poucos, você vai se adaptar.

— O tempo vai custar a passar.

— Nem tanto. Quando a ligação se consolidar, você não precisará ficar aqui até o momento do nascimento. Ficará no astral, preparando-se, e só voltará aqui no momento do nascimento.

— Quando você diz isso, eu fico arrepiada. Não é nada fácil nascer.

Dalva sorriu e respondeu:

— Na Terra, todos têm medo da morte, mas nascer é mais difícil do que morrer. O melhor é saber que todas essas experiências são necessárias para a conquista do progresso. É preciso olhar a inteligência da vida e saber que tudo que ela faz é certo.

Capítulo 1

Gerson entrou em casa eufórico, carregando alguns pacotes. Joana levantou-se alegre, enquanto ele colocava os embrulhos na mesa. Ela disse sorrindo:

— Pelo jeito você recebeu!

— Recebi sim! E foi mais do que eu esperava. Comprei tudo que faltava e agora nosso filho já pode chegar. Não deu para muita coisa, mas pelo menos ele terá o que vestir.

Joana quis abrir um dos pacotes, mas Gerson pediu:

— Deixe que eu faço. Sente-se, que eu lhe mostrarei.

Ela obedeceu, e Gerson abriu o embrulho onde havia algumas roupinhas para bebê e colocou-as no colo da esposa que, encantada, alisava as peças.

— São lindas! Ainda bem que você conseguiu. Dona Áurea disse que estava preparando um enxoval para me dar, mas ainda não veio. Eu não posso ir até lá para saber se já chegou. O médico do posto disse que a criança está para nascer por esses dias e até já me deu a carta para a internação.

— Comprei o que o dinheiro deu. Tive de reservar uma parte para a despesa da quinzena. Só vou receber de novo daqui a duas semanas.

— O que importa é que, quando nascer, o bebê já terá o que vestir. E o outro pacote, o que é?

— Vou lhe mostrar. É pano para fazer as fraldas.

Gerson abriu o pacote, colocou o pano no colo da esposa, que o abriu e observou:

— Veja, é fácil fazer. É só cortar onde está marcado e pronto. Dona Ana disse que vai fazer as bainhas. Se eu tivesse uma máquina de costura, eu mesma faria.

— Você não pode operar uma máquina agora. Mesmo que tivesse uma, não a deixaria na sua mão. Quero que nosso filho venha na hora certa e com saúde. Vai ser um meninão! Nos domingos, quero sair com ele, me divertir.

Joana ficou calada durante alguns segundos e depois disse:

— Você fica aí falando que vai ser menino, mas... e se vier uma menina? A gente não sabe ainda.

Gerson olhou assustado e respondeu:

— Não diga isso nem por brincadeira!

— Nós temos de aceitar o que Deus nos mandar. Quem escolhe é Ele!

— Mas Ele não vai fazer isso comigo. Filha mulher só dá trabalho. Como nós vamos tomar conta dela? Já um menino é mais fácil. Você pode soltar para a vida.

Joana pensou um pouco e depois sentenciou:

— Tanto um como outro podem dar trabalho se não tiverem juízo. É preciso saber educar um filho.

— É, mas eu prefiro menino.

— Minha mãe sempre dizia que um filho sempre traz boa sorte, se você souber lhe dar valor. Não importa o sexo da criança.

— Sabe que ela tinha razão? Foi depois que você ficou grávida que eu arranjei emprego com carteira assinada. Eu nunca tinha conseguido isso.

— Veio em boa hora, ainda mais que eu tive de parar com as faxinas.

A noite já havia descido sobre aquela faixa da Terra, e o casal continuava conversando, quando um grupo de espíritos, envolvido em uma luz amarelada muito clara, entrou pelo telhado do barraco.

Josias e Lauro, um de cada lado, seguravam a alça de um cesto almofadado, envolvido por uma luz de tom azul-claro, onde havia um bebê adormecido. Maria os acompanhava. Dalva, que estava no barraco, apressou-se em recebê-los.

— E então, está na hora?

— Sim — respondeu Josias.

— Ela está bem?

— Está.

Uma faixa de luz veio do alto em direção à cabeceira da cama, sobre a qual Josias e Lauro colocaram o cesto. Depois, Dalva postou-se na frente de Joana, enquanto Maria se posicionava atrás da gestante.

Juntos, os espíritos levantaram as mãos e começaram a orar e de suas mãos saíam luzes coloridas que caíam sobre Joana.

Ela, então, começou a bocejar, e Gerson comentou:

— Já está com sono?

— Estou. Vou me deitar.

— Está bem. Eu também estou cansado. Vou dormir.

O casal se deitou e logo adormeceu. O espírito de Gerson deixou o corpo e saiu do barraco rapidamente.

— É melhor que ele não esteja aqui — comentou Josias.

O espírito de Joana saiu do corpo e ficou ao lado, sentindo-se exausto e temeroso. Lauro aproximou-se, concentrou-se e ouviu os pensamentos de Joana:

— Não aguento mais. Estou sem ar. A dor nas costas não me deixa dormir. E se meu filho nascer doente? Será que vai ser perfeito? Estou com medo. E se eu morrer como a mulher do João? Meu Deus, por que eu fui inventar de ter um filho?

— Precisamos acalmá-la. Está confusa. Tem medo de que a criança não nasça perfeita — Lauro comentou.

— Vou ajudá-la. Você a apoia, enquanto eu mostro o bebê a ela — sugeriu Josias.

Enquanto Lauro colocava a mão na nuca de Joana, Josias foi até o cesto e tomou o bebê nos braços com carinho. Nesse momento, a criança abriu os olhos e, vendo-o, sorriu. Josias colocou o bebê diante do espírito de Joana e, ligando-se a ela, disse:

— Veja, Joana, esta é Milena, sua filha! Ela é linda e saudável.

Joana, espírito, viu Josias segurando o bebê, que, de olhos abertos, a fitava e sorria.

— É uma menina — gritou Joana. — E é muito linda!

A emoção foi tamanha que ela mergulhou no corpo e acordou, tendo ainda nítida aquela visão.

Gerson acordou assustado e perguntou:

— O que foi, mulher? Está se sentindo bem?

— Agora estou. Nós vamos ter uma menina e ela vai ter saúde! O nome dela é Milena. Deus seja louvado!

— Como você pode saber disso?

— Eu a vi. É linda e saudável! Graças a Deus!

— Foi só um sonho! — Gerson duvidou.

— Não foi! Ela está aqui e se chama Milena.

Joana afirmou isso com tanta segurança que Gerson, embora não acreditasse muito no que ouvira, respondeu para confortá-la:

— Está certo. Se for menina se chamará Milena.

Feliz, Joana suspirou, passou o braço sobre o marido e adormeceu novamente. Uma hora depois, acordou sentindo uma cólica forte e sacudiu o marido dizendo:

— Acorda, Gerson! Estou com muita dor!

Ele pulou da cama:

— O que está sentindo? Será que chegou a hora?

Joana sentou-se com a mão na barriga e disse aflita:

— Corra! Vá chamar dona Lurdes!

— Eu vou avisar o João. Nós vamos para o hospital!

Gerson correu para acordar o amigo, que lhe prometera levá-los ao hospital quando chegasse a hora do nascimento. João apareceu em seguida e precisou ajudar Gerson a carregar Joana até o carro, uma vez que ela não aguentava andar.

Acomodaram-se no carro, e Gerson, vendo que o dia já estava começando a clarear, olhou para o rosto crispado de dor de Joana e disse preocupado:

— Que Deus nos ajude e tudo corra bem!

— Vai correr sim, Gerson. Deus é grande! — respondeu João.

Eles não podiam ver, mas o grupo de amigos espirituais, que acompanhara Milena desde o início, estava ao lado deles, com a fisionomia calma e certos de que tudo correria bem.

O parto foi normal. A menina chorou forte, mostrando que viera ao mundo com saúde e disposta a viver. Joana chorou comovida quando uma enfermeira colocou a filha em seus braços, dizendo:

— Veja, mãe, que filha linda você tem!

— O nome dela é Milena! — foi tudo o que Joana conseguiu dizer engasgada pela emoção.

— É um nome lindo! Vou cuidar dela agora. Mais tarde a levarei à enfermaria para você.

Uma onda de alegria envolveu o coração de Joana. Enquanto o médico terminava o atendimento, ela, comovida e em silêncio, murmurou uma sentida prece de agradecimento a Deus por lhe ter dado uma filha.

Mais tarde, quando Gerson foi vê-la na enfermaria, a primeira coisa que Joana lhe disse foi:

— Eu não disse que era uma menina? Ela vai se chamar Milena.

Apesar de se sentir um pouco desapontado por não ganhar o tão esperado menino, Gerson respondeu:

— Está bem. Será Milena. Veio menina, mas eu não desisto. Logo vamos ter outro e será um menino.

— Vire essa boca pra lá! Eu não quero mais filhos, pode esquecer.

— Um é pouco. Eu quero um menino.

— Quem tem de aguentar o peso da barriga e as dores do parto sou eu! Acho que chega. Está de bom tamanho.

Gerson riu com gosto e depois comentou:

— Com o tempo, você esquece. Se fosse assim, nenhuma mulher teria outros filhos.

O horário de visita acabou, e Gerson deixou a enfermaria para ir até o berçário ver a filha. Assim que ele se aproximou do vidro, a enfermeira segurou Milena e levantou-a para que o pai a visse. A menina dormia tranquila, e ele se comoveu pensando que aquele pedacinho de gente era sua filha.

Depois, examinando-lhe os traços, tentou ver com quem ela se parecia. Mas a pele morena clara, o rosto redondo e os traços delicados indicavam que ela não se parecia com ninguém.

João aproximou-se dizendo:

— Eu sabia que você estava aqui babando, como todo pai de primeira viagem. Quando estiver no quarto filho, como eu, estará acostumado.

— Ela é linda!

João balançou a cabeça sorrindo:

— Isso é coisa de pai! Todo recém-nascido é igual, Gerson! Só quando cresce fica com cara de gente.

— Que nada! Ela tem traços delicados como os de Joana e a pele mais clara do que a minha.

João riu com gosto e comentou:

— Claro que ela não tem a sua cara! Você é muito feio!

Gerson levantou o rosto com altivez e respondeu:

— Mas muitas mulheres me fazem pensar o contrário! Estão sempre dando em cima de mim! Já você, mesmo sendo mais claro que eu, não tem vez com elas.

— Deixe de conversa e vamos comemorar! Você não vai pagar uma cerveja para o seu amigo aqui?

— Vou sim. Estou aliviado. Deu tudo certo.

— Agora é que tudo vai começar. Você vai ver que seu sono acabou! E quando crescem, ficam ainda piores. Filho só serve para dar trabalho e tirar a gente do sério.

— Deixe disso. Você fala de barriga cheia. Seus filhos são ótimos.

João sorriu satisfeito. Nada o agradava mais do que ouvir elogios direcionados a seus filhos.

Três dias depois, Gerson foi buscar a mulher e a filha na maternidade. Ao ver Joana feliz, com a filha nos braços enrolada em uma manta cor de rosa, emocionou-se e tentou dissimular. Não queria parecer mole.

Joana descobriu o rostinho da menina e disse sorrindo:

— Veja como ela é linda!

Nesse momento, Milena abriu os olhos e fixou-os no pai. Gerson não se conteve:

— Ela está me conhecendo! Sabe que sou o pai dela!

Joana riu e comentou:

— Não seja bobo. É cedo para ela saber disso.

Milena estava com a mãozinha fechada, e Gerson tentou examiná-la, quando foi surpreendido pela bebê, que segurou um dos dedos do pai com força. Ele comentou:

— Viu? Ela sabe quem sou eu!

Joana riu, balançou a cabeça e perguntou:

— O João veio com você?

— Veio. Está no carro nos esperando.

— Ele tem nos ajudado muito. Temos de agradecer.

— Eu sempre disse que ele um dia seria nosso compadre. Vamos dar Milena para ele batizar.

— É, vamos ver.

Meia hora depois, eles estavam subindo o morro parando aqui e ali, para receber os cumprimentos de alguns amigos que queriam ver a menina. Joana afastava a fralda que colocara sobre o rostinho da filha a fim de protegê-la e sorria orgulhosa ao ouvir os elogios.

Ao entrar em casa, notou que tudo estava arrumado. Havia um caldeirão sobre o fogão, garrafa térmica e pão sobre a mesa.

Joana colocou o bebê na cama e destampou o caldeirão no qual havia uma canja. Gerson aproximou-se:

— Foi a Zefa. Ela veio com o João, trouxe uma sacola e disse que ia deixar tudo pronto, porque você precisa descansar e se alimentar bem. Ela vem mais tarde para nos ajudar.

— Que bom. Ela vai me ensinar como cuidar da menina. É tão pequena... tenho medo.

— Ela é pequena, mas é muito forte! Viu como segurou meu dedo? Não precisa ter medo.

— Milena precisa tomar banho todos os dias, e a enfermeira me ensinou como se faz. Mas eu não sei se vou me lembrar de tudo e conseguir fazer as coisas direito.

— Vou esquentar o leite para você tomar. Tem pão fresquinho também. Estava quente quando comprei.

— Eu tomei café no hospital, mas acho que vou tomar de novo. Esse pão está com uma cara...

— Vou lhe fazer companhia. Estou de folga hoje.

Gerson esquentou o leite, e o casal sentou-se para comer.

— Ainda não deu para comprar o berço — comentou Joana. — Na semana que vem, vou voltar a trabalhar na casa da dona Vera.

— Nada disso. Você está de resguardo. Depois, tem de cuidar da Milena. Vou comprar o berço quando receber o pagamento na semana que vem. Você agora tem de ficar em casa.

— Dona Áurea me disse que estava para ganhar um berço e que, quando ele chegasse, ia me dar. Mas eu não sei quando isso vai acontecer.

— Eu queria muito comprar um novinho pra ela — Gerson comentou.

— É, eu também. Mas se não precisarmos comprar o berço, talvez possamos comprar um carrinho.

— Eu encostei duas cadeiras no canto da parede e aproximei a cama. Assim, ela não vai cair.

Joana foi ver o arranjo e concordou:

— Ficou macia.

— São as suas almofadas. Deu certinho.

Milena começou a chorar, e Joana pegou-a nos braços e começou a balançá-la lentamente. Vendo que a menininha procurava algo com a boca aberta, disse:

— Ela deve estar com fome.

Joana acomodou-se e ofereceu o seio, mais volumoso do que de costume, à filha. Milena, então, começou a sugá-lo, enquanto Gerson contemplava a cena emocionado. Ele nunca imaginara que aquela criança tão pequena pudesse provocar-lhe tantas emoções. Sentia-se forte, motivado a trabalhar, progredir na vida, ter tudo do bom e do melhor, para que Milena pudesse ser feliz.

Gerson sentou-se na cama ao lado da esposa e da filha e ficou observando-as. Depois de alguns minutos, disse sério:

— Estou pensando em arranjar um trabalho extra.

Joana fixou-o admirada:

— Você trabalha o dia inteiro. Não tem tempo para isso.

— Ah! Estive olhando o povo que vende coisas na rua e pensei em trabalhar nas horas de folga.

— Para isso, você precisa ter dinheiro para comprar as mercadorias para vender.

— Não quero vender mercadorias. Estive observando, Joana... O que mais vende é comida, principalmente na praia. Eles conseguem vender tudo o que oferecem.

— Praia funciona de dia, Gerson, e você trabalha o dia inteiro.

— Posso começar nos fins de semana.

Joana riu e perguntou:

— Você não sabe cozinhar. O que pensa em vender?

— Sanduíches. Qualquer um sabe fazer sanduíches. Acho que posso fazer isso.

— Mesmo assim, você precisa ter um capital para começar o negócio. E os sanduíches têm que ser saborosos e terem boa apresentação. Você não pode sair por aí com qualquer coisa.

Gerson levantou a cabeça e disse firme:

— Eu sei disso. Quero fazer uma coisa gostosa e com muita limpeza. Amanhã é sábado. Estarei de folga, então vou dar uma volta por aí. Quero observar os melhores vendedores e aprender como eles trabalham.

Joana ficou pensativa durante alguns minutos e depois considerou:

— Sabe que é uma boa ideia? Eu posso ajudá-lo, e nós, juntos, poderemos melhorar de vida.

No dia seguinte, Gerson foi circular pela praia para observar os vendedores. Uma mulher de meia-idade circulava pela areia, oferecendo salgadinhos que levava em uma cesta de vime com alça, forrada com panos de prato muito alvos. Ele a seguiu e notou que, em menos de uma hora, ela vendera tudo.

Gerson aproximou-se da mulher e disse:

— Que salgadinhos a senhora tem aí?

Ela olhou-o, sorriu e respondeu:

— Agora nada. Acabaram.

— Que pena. Disseram que os seus são os melhores.

— Eu capricho mesmo. Mas amanhã estarei de volta às dez da manhã. Apareça.

A vendedora se foi, e Gerson circulou pela praia mais um pouco. Depois, passou na padaria, perguntou alguns preços e foi para casa pensando no que faria.

Assim que chegou, contou a Joana tudo que observara e finalizou:

— Na próxima semana, receberei o pagamento e comprarei algumas coisas para começar a fazer alguns sanduíches. Além disso, vou precisar de uma cesta, panos de prato e guardanapos de papel.

— Você acha que isso vai dar certo?

— Acho. Só não sei se o dinheiro vai dar para tudo.

— Temos que guardar para as despesas.

— O que me animou foi que todos pagam os lanches na hora, com dinheiro vivo. Vou gastar, mas também receberei em seguida. E o lucro das vendas vai dar para dobrar a quantidade de sanduíches. Vou comprar tudo de primeira, de qualidade. As pessoas gostam do que é bom. Não vou economizar. Quero fazer freguesia.

— Eu quero ajudá-lo. Que sanduíches você vai fazer?

— Estou pensando. Por enquanto, dois tipos só. Sanduíches simples, mas gostosos.

Gerson sentou-se na beira da cama e comentou:

— Minha mãe fazia cada sanduíche gostoso!

— Ela foi cozinheira de dona Julieta durante muitos anos. Até hoje, quando encontro dona Julieta na rua, ela pergunta por você e diz que, depois que dona Maria morreu, nunca mais encontrou outra cozinheira igual.

Gerson ficou pensativo durante alguns instantes e depois comentou:

— Se ela estivesse viva, nos ajudaria. Sinto muito a falta dela.

— Dona Julieta me contou que, outro dia, sonhou com sua mãe. Ela lhe pedia que nos ajudasse. Foi por causa disso que dona Julieta nos deu aquelas roupinhas para Milena. Você acha que foi mesmo a alma de dona Maria que fez esse pedido?

— Não sei. Por que está dizendo isso?

— Porque dona Áurea disse no centro que a alma de sua mãe estava perto de mim. Eu fiquei com medo, mas depois pensei... Dona Maria era muito boa e gostava muito de mim. Ela não iria me fazer mal.

— Claro que não. Minha mãe sempre foi muito boa. Na próxima semana, vou receber o pagamento e preparar tudo. Se tudo der certo, no fim de semana que vem, vou começar a trabalhar na praia.

— Tomara que dê tudo certo.

Milena começou a chorar, e Joana apressou-se a pegá-la no colo, enquanto Gerson apanhava um pedaço de papel e fazia contas para saber quanto dinheiro ia ter para começar o negócio.

Capítulo 2

Fazia alguns meses que Gerson havia começado a vender lanches na praia e, a cada dia, sua freguesia aumentava. Joana o auxiliava, e o dinheiro obtido com as vendas começou a se multiplicar.

O casal o guardava em uma velha bolsa de couro que Joana ganhara e a colocava embaixo do colchão.

Uma manhã, João foi visitá-los e surpreendeu-os contando o dinheiro diante da bolsa aberta. Então, disse admirado:

— Vejo que estão ganhando dinheiro!

— Estou até pensando em sair do emprego para ter mais tempo para trabalhar na praia.

— Cuidado! Você não pode deixar todo esse dinheiro em casa! É muito perigoso — recomendou João.

— Nós o escondemos debaixo do colchão. Ninguém vê — esclareceu Joana.

— Estão facilitando. A malandragem anda solta. Amanhã, você vai abrir uma conta no banco para depositar o dinheiro!

Gerson pensou um pouco e respondeu:

— Às vezes, sinto medo. Nunca entrei em um banco e não sei como abrir uma conta. Depois, como vou tirar o dinheiro para fazer as compras?

— Não se preocupe. Você vai poder usar cartão e cheque para fazer compras. Por ora, separe o dinheiro que vai precisar durante uma semana e deposite o restante no banco. É mais seguro.

Pensativo, Gerson coçou a cabeça, e João reforçou:

— Você agora é um comerciante. Um homem de negócios. O banco existe para proteger seu dinheiro.

— Quanto o banco vai me cobrar para fazer isso?

— Pequenas taxas. Mas vale a pena. Você vai poder dormir sossegado. E, mais adiante, poderá até aplicar algum dinheiro e ganhar uma boa quantia com isso.

— Você acha mesmo que eles vão abrir uma conta pra mim?

— Acho. Você é um trabalhador honesto, sabe ler e escrever, seus documentos estão em ordem. Eles vão até ficar honrados em fazer isso.

— Está bem. Amanhã cedo, vamos ver isso de perto.

Não foi difícil para Gerson abrir a conta e depositar o dinheiro no banco. Satisfeito, ele deixou a agência ao lado do amigo, com um comprovante de depósito no bolso, sentindo-se orgulhoso do próprio progresso.

Mais tarde, chegou alegre em casa e exibiu os documentos para Joana, que sorriu entusiasmada:

— Eu sabia que você ia fazer tudo certo. O compadre sabe lidar com essas coisas.

— Agora eu estou aprendendo e garanto que sei fazer contas muito bem. Ninguém vai mais me passar a perna.

— Isso merece uma comemoração — disse João. — Mais tarde, vou trazer uma carne para a Zefa temperar. Vou pedir a ela para preparar uma boa salada de batatas, e vamos fazer um churrasco.

— A Joana vai fazer uma deliciosa limonada, bem gelada.

Quando João se foi, Joana fixou o marido e tornou:

— Que história é essa de você dizer que vai deixar o emprego?

— Eu fiz as contas e cheguei à conclusão de que posso ganhar muito mais se me dedicar só ao nosso negócio. Posso economizar e comprar até um carrinho, bonito, moderno, com guarda-sol e tudo.

— Creio que ainda é cedo para pensar em sair do emprego, Gerson. O que vai fazer no inverno, quando a praia ficar vazia? Você está vendendo bem porque no verão a praia fica cheia. Assim que o tempo esfriar, ninguém mais vai para lá.

— Puxa! Não tinha pensado nisso!

Gerson ficou em silêncio por alguns segundos e depois disse:

— Mas, se eu já tiver o carrinho, posso vender cachorro-quente ou outro sanduíche quentinho nas escolas. Ninguém vai deixar de ir à escola por causa do frio.

Joana riu com gosto:

— Você pensa em tudo! Mas um carrinho desses é caro. Vai levar um tempo para podermos comprá-lo. E você ainda vai ter de tirar a licença na prefeitura para poder trabalhar.

— Não importa. Vou me informar sobre isso, tentar saber quanto custa e tudo mais. Estou certo de que vamos conseguir.

Joana olhou-o embevecida. Quando Gerson dizia uma coisa, sabia que ele iria em frente. Ela abraçou-o, dizendo com carinho:

— Você é um homem inteligente e trabalhador. Sei que vai conseguir tudo o que quiser!

Os olhos de Gerson brilharam quando respondeu:

— Nossa Milena vai crescer, estudar e ter tudo que nós não pudemos ter. Você vai ver!

Joana tinha razão em confiar no marido. Depois de informar-se sobre tudo de que precisava para realizar seus objetivos, Gerson conseguiu aumentar as vendas nos meses seguintes. Joana o ajudava com alegria e disposição, e o dinheiro no banco foi aumentando.

Quando Gerson conseguiu juntar a quantia para dar a entrada na compra do carrinho e manter uma reserva para as primeiras despesas, ele finalmente conquistou o que queria. Comprou o carrinho e levou-o para casa satisfeito.

— Veja, Joana, como é lindo! Tem tudo de que precisamos e até lugar para guardar as coisas.

— É mais bonito do que aquele que estava lá.

Gerson desejava deixar o emprego, mas Joana não concordou com o marido:

— É melhor esperar os dois meses que faltam para suas férias. Enquanto isso, você pode começar a trabalhar nos fins de semana. Até lá, vamos poder fazer as contas e planejar tudo. É mais garantido.

— Estou ansioso para começar logo! Tenho certeza de que vai dar tudo certo.

— Pode começar a praticar neste fim de semana.

— Vai ficar muito apertado guardar o carrinho aqui, mas não tem outro jeito.

— Por enquanto, daremos um jeito. A Zefa tem um quartinho bem pequeno, que ela alugava para o Zé. Ele voltou para Minas e o quartinho está vazio. Vamos falar com ela e alugar o cômodo. Lá, nosso carrinho estará seguro.

Gerson pensou um pouco e respondeu:

— Eu preferia guardá-lo aqui em casa.

— Vamos alugar o quartinho e guardar lá parte de nossas coisas. Também acho melhor o carrinho ficar aqui.

— Sabe, Joana, vou trabalhar muito e, quando der, vamos alugar uma casinha, mesmo que seja pequena, para deixarmos a favela. Vai ser muito bom ter endereço certo, poder ter uma vida mais confortável.

Os olhos de Joana marejaram e ela tentou dissimular a emoção. Gerson continuou:

— Nós temos muitos amigos aqui. Há muita gente boa, mas estou pensando em Milena. Eu gostaria de dar a ela uma vida melhor.

— Eu também. Desde que ela nasceu, nossa vida mudou. Nossa filha nos trouxe sorte. Quando a pego no colo e ela me olha com aqueles olhinhos brilhantes, como se quisesse falar comigo, sinto um calor no peito... uma alegria que não tem explicação.

— É o amor, Joana. Eu também sinto. Foi esse amor que me deu coragem para trabalhar mais e mudar nossa vida para melhor.

Gerson e Joana não podiam ver, mas Josias e Maria estavam ao lado deles, envolvendo-os com carinho. Sempre que podiam, eles compareciam lá para protegê-los, revezando-se com Lauro e Dalva.

Conforme haviam prometido a Milena, os dois acompanhavam a família, oferecendo-lhe energias de amor e paz.

O carrinho de cachorro-quente de Gerson foi um sucesso. Além disso, ele fazia outros sanduíches para vender e colocava-os na pequena vitrine lateral. Foi assim que ele conseguiu fazer freguesia.

Depois de deixar o emprego, Gerson vendia seus sanduíches não só na praia, como também na porta de uma faculdade.

Logo conquistou a preferência dos estudantes com sua simpatia, pela qualidade de seus produtos e pelas condições de higiene do carrinho, mantidas sempre impecáveis.

Gerson sentia-se orgulhoso quando até alguns professores consumiam seus sanduíches. Joana sentia-se feliz com o sucesso do marido e o auxiliava a manter tudo em ordem.

O tempo foi passando e Milena cresceu saudável e alegre. Aos três anos de idade, ela já falava tudo e sua linguagem fazia a alegria dos pais.

Uma tarde, enquanto Joana estava entretida passando a ferro uma camisa do marido e ouvindo o rádio, Milena, sentada no chão, brincava com algumas panelinhas.

Joana, então, ouviu a voz da filha, que ria e conversava animada com alguém.

Olhando em volta, Joana notou que não havia ninguém na casa, mas Milena movimentava suas panelinhas e continuava falando.

Joana desligou o ferro, abaixou o volume do rádio, aproximou-se da filha e perguntou:

— Você está falando comigo?

— Não. Estou conversando com meu amigo.

Joana balançou a cabeça e pensou: "Ela está fingindo".

Nesse momento, Milena soltou uma gargalhada e disse:

— Você não sabe segurar a panela! Deixe que eu faço.

— Quem não sabe segurar a panela?

— O Nico.

— Quem é o Nico?

— Meu amigo. Ele *qué pegá* a panela, mas a mão dele atravessa o cabo!

Joana olhou-a um pouco assustada e disse:

— Você está me enganando. Não tem ninguém aqui.

— Tem sim. Não tá vendo, mamãe? Ele tá rindo.

— Não estou vendo não.

— Ele tá indo embora...

Quando Gerson chegou para jantar, Milena já estava dormindo. Joana chamou o marido para conversar:

— Não tinha ninguém com ela! Milena disse: "A mão dele atravessa o cabo!". Só pode ser alma do outro mundo, Gerson!

— Que nada, mulher! As crianças têm muita imaginação. Milena fica muito sozinha aqui. Você não quer que ela vá para a creche! Lá, ela teria outras crianças para brincar.

— Nada disso. Eu quero tomar conta dela. Amanhã mesmo, vou levá-la para dona Áurea. Se tiver alguma coisa, ela vai ver e vai me contar.

Gerson deu de ombros e respondeu:

— Faça como quiser.

Mas, nos dias que se seguiram, Joana esqueceu o assunto e só se lembrou dele quando, quase uma semana depois, o fato se repetiu. Milena estava cantarolando uma música e, quando a mãe lhe perguntou que canção era aquela, ela lhe respondeu:

— É nova. Estou aprendendo. O Nico está me ensinando. Ele toca e eu canto.

Dessa vez, Joana decidiu que iria levar Milena à noite ao centro e falar com dona Áurea.

Naquela noite, Gerson terminaria o trabalho mais cedo e prometeu acompanhá-las.

Dona Áurea era uma senhora muito respeitada na comunidade, porque, além do atendimento espiritual, ela mantinha um trabalho de promoção humana, prestando serviços e mantendo um bom número de voluntários sempre dispostos a auxiliar as pessoas. Por esse motivo, seu centro estava constantemente lotado.

Uma atendente reconheceu Joana e foi abraçá-la.

— Eu gostaria de falar com dona Áurea.

— Ela está atendendo a uma pessoa, mas, assim que dona Áurea acabar o atendimento, vou encaminhá-la. Crianças têm prioridade.

Joana agradeceu à atendente e, com Milena e Gerson, sentou-se para esperar. Meia hora depois, a família foi conduzida à sala de dona Áurea, que se levantou para abraçá-los.

— Que bom vê-los! Como Milena está grande e bonita!

— É sobre ela que quero falar com a senhora.

Joana piscou levemente para Áurea e continuou:

— Ela costuma brincar com um menino desconhecido, que não consegue segurar o cabo da panela dela. Só ela vê esse menino.

Áurea passou a mão na cabecinha da garotinha com carinho e sorriu-lhe dizendo:

— Eu também estou vendo. É o Nico. Um menino muito bom, alegre e com um grande coração.

Os olhos de Milena brilharam:

— Isso mesmo. Ele é meu amigo. Eu gosto muito de *brincá* com ele!

Os pais da menina a olhavam admirados e receosos.

— Certamente, a senhora vai dizer a ele que é melhor que vá embora — tornou Joana preocupada.

— Não posso fazer isso e lhe explico o porquê. O senhor Gerson não poderia levar Milena para conhecer a nossa livraria? Ela pode escolher o livro de que mais gostar. É um presente meu. Enquanto isso, nós duas poderemos conversar.

Gerson obedeceu e levou Milena consigo. Assim que se viu a sós com Áurea, Joana pediu:

— Por favor, dona Áurea, tire esse espírito do lado da Milena. Eu morro de medo!

— Acalme-se, Joana. Eu posso pedir a ele que se afaste, mas outros espíritos virão. Milena é sensitiva. Não há como impedir que ela os veja, converse e até interaja com eles.

— Meu Deus! Como pode ser isso?

— Não tenha medo, Joana. A mediunidade é um bem e, no caso dela, no nível em que está, só lhe trará benefícios. O que vocês precisam é estudar e aprender a lidar com o assunto.

— Mas eu fico muito nervosa quando Milena conversa com quem eu não vejo! Me parece algo perigoso... Ela é muito pequena, dona Áurea.

— Para ela, é apenas uma brincadeira. Não leve tão a sério. Quando acontecer, não dê importância. Creia: Milena está protegida.

— A senhora não pode fazer nada para impedir que isso aconteça? Farei o que quiser.

Áurea fechou os olhos e ficou alguns segundos em silêncio. Depois, fixou Joana e disse:

— Vou indicar um tratamento espiritual de renovação energética. Vocês terão de vir aqui uma vez por semana, durante um mês, para receber assistência. Depois, voltaremos a conversar para aferir os resultados.

— Gerson também?

— Sim.

— Ela vai ficar curada?

— Milena não está doente, Joana. Ela vai apenas receber apoio e proteção. Gostaria que você cooperasse durante o tratamento, confiando na ajuda de Deus e mantendo a calma. Sua filha está muito bem. Não há nada a temer. Eu lhe garanto.

— Está bem. Se a senhora diz, eu acredito. Tem nos ajudado muito e sou-lhe muito grata.

— É importante que você e Gerson mantenham a fé em Deus e bons pensamentos. Quando você não confia e sente medo, acredita que algo ruim vai acontecer. Com isso, você anula o auxílio e ainda abre espaço para o mal entrar.

— Como eu posso fazer isso? Às vezes, os pensamentos ruins aparecem do nada e me assustam.

Fico mal com isso, pois eles ficam martelando minha cabeça.

— Quando age assim, você os está alimentando. Esse é o jeito de atrair aquilo que você teme. Não dê força ao mal. É apenas um pensamento. Nessa hora, pense em alguma coisa boa, faça alguma coisa gostosa, ouça música, cante, faça uma oração. O importante é sair daquela sintonia ruim. Não dê espaço para a maldade.

— Mas eu não dou. Não gosto de prejudicar ninguém.

— Eu sei disso, Joana, mas saiba que há muitas pessoas maldosas à nossa volta. Conforme você pensa, irradia à sua volta energias, e, quem estiver perto ou se lembrar de você, poderá senti-las. Se deseja que Milena fique sempre bem, você e Gerson precisam conservar bons pensamentos. Ficar no bem é a melhor proteção.

— Está bem. Eu entendi. Farei tudo para que minha casa esteja sempre em paz.

Áurea entregou a Joana o papel de tratamento dizendo:

— Quando terminar as quatro semanas, volte para falar comigo.

Joana deixou a sala e foi até a pequena livraria procurar o marido. Encontrou-o sentado com Milena no colo, segurando um livro e lendo-o para a filha com entusiasmo.

No caminho de volta para casa, Joana queria relatar a conversa que tivera com Áurea, mas Milena queria que o pai contasse de novo a história do livrinho que ganhara.

— Eu já contei essa história duas vezes, filha! Agora quero conversar com sua mãe!

— Eu *quelo* mais. Onde foi que o coelho se escondeu? O gato comeu ele?

— Não. O coelho foi mais esperto e fugiu.

— Pra onde ele foi?

— Para a casa onde a mãe dele estava.

Joana abanou a cabeça e decidiu:

— Continue contando a história. Em casa, eu lhe conto a conversa.

Assim que chegaram, Joana preparou o leite que Milena gostava de tomar antes de dormir. A garotinha ficou o tempo todo segurando o livrinho de história, folheando-o, olhando tudo com atenção, até que não resistiu ao sono e adormeceu.

— Não pensei que Milena gostasse tanto de histórias. Você precisava ver o entusiasmo dela quando entramos na livraria. Queria ver tudo!

Enquanto Joana arrumava a louça do jantar, que havia ficado para lavar, e Gerson a ajudava, os dois puderam finalmente conversar. Ele quis saber tudo que Áurea dissera.

— Eu não entendi muito bem. Dona Áurea disse que podia pedir a esse menino para que fosse embora, mas que outros viriam em seu lugar, porque Milena é sensitiva e não dá para mudar isso. Ela disse também que ser médium é muito bom, só que eu tenho medo de ver minha filha lidando com pessoas que já morreram.

— Você disse isso pra ela?

— Disse. Então, ela passou um tratamento espiritual para nós três. Vamos ver como isso vai ficar.

Gerson ficou em silêncio, pensativo. Depois de alguns instantes, perguntou:

— Esse tratamento é tomar passes no centro?

— Isso mesmo. Nós três. Dona Áurea me disse que, para ajudar nossa filha, vamos ter de pensar no bem, ter fé e rezar. Você acha que isso vai dar certo?

— Eu tenho fé. Afinal, dona Áurea é uma pessoa muito boa e já ajudou muita gente. Vamos confiar e fazer o que ela disse. Apesar do que está acontecendo, Milena está muito bem.

— É. Isso é verdade. Temos que preparar alguma coisa para amanhã?

— Vamos fazer alguns sanduíches iguais ao que fizemos ontem. Todos gostaram muito e acabaram logo.

Enquanto preparavam os sanduíches, Joana tornou:

— Milena adorou aquela história. Quero que me conte, porque amanhã ela vai querer que eu leia de novo.

— Ah! Você vai ler e pronto.

— Não. Além de ler, eu vi que você imitava o gato, o coelho e tudo. Os olhinhos dela brilhavam. Como é que faz isso?

Gerson deu uma sonora gargalhada e considerou:

— Preste atenção. Você já viu como o gato faz quando vai pegar um passarinho? É só copiar. E já notou a rapidez com que um coelho foge quando é perseguido?

Joana começou a rir e comentou:

— Você devia ir trabalhar no circo. Nunca vi ninguém contar uma história com tanto entusiasmo. Até eu fiquei com vontade de ler a história toda.

— Está tudo pronto para amanhã. Aumentei a quantidade de sanduíches. Vamos ver se consigo vender tudo.

— Vai vender sim. Estou cansada. Feche tudo e vamos dormir. Amanhã, você vai acordar muito cedo.

Depois de deixarem tudo arrumado, os dois se prepararam para dormir. Por fim, deitaram-se depois de olharem Milena, que dormia tranquila.

Gerson abraçou a esposa e disse satisfeito:

— Vamos agradecer a Deus por tudo que recebemos. Milena nos trouxe alegria e paz. Nós somos pessoas de bem. Ninguém no mundo é mais feliz do que eu.

Joana suspirou e respondeu:

— É verdade. Eu também me sinto muito feliz por ter um marido como você! Vamos rezar.

Em silêncio, ambos fizeram suas orações, depois viraram para o lado e, ainda abraçados, adormeceram.

Os espíritos de Josias e Dalva estavam um de cada lado da cama. Com as mãos estendidas, oravam em pensamento, enquanto uma energia muito alva descia do alto derramando-se sobre eles.

— Você vai levá-los ao parque das águas esta noite? — perguntou Dalva.

— Ainda não. Eles estão bem, e, por enquanto, Áurea com seu grupo serão suficientes. Tudo está bem. Nós já podemos ir.

Josias passou o braço no de Dalva e ambos se elevaram, deixando o barraco pelo telhado. Em poucos segundos, seus vultos distanciaram-se rumo ao infinito.

Capítulo 3

Joana acordou, olhou o relógio e levantou-se apressada. Gerson saíra cedo para trabalhar e não a acordara. Na véspera, fora dormir muito tarde preparando os doces e o bolo para a festa de Milena, que, no sábado, completaria dezessete anos.

Ela correu para acordar a filha, com receio de que a jovem perdesse a hora para o colégio. Vendo-a entrar no quarto, Milena tornou:

— Mãe, você perdeu a hora, mas eu não.

— Você foi dormir na mesma hora que eu. Hoje é dia de prova, e eu não queria que faltasse.

— Eu não consegui dormir muito bem. Fiquei imaginando como será a festa, pois é a primeira que fazemos na casa nova. Convidei alguns amigos da escola.

— Vai ser um sucesso. A comadre Zefa também está fazendo aqueles doces de que você gosta. Seu vestido ficou lindo! O Bernardo vai trazer o violão, vamos cantar...

Os olhos de Milena brilharam de alegria, e Joana não se conteve:

— Você está muito linda. Parece uma artista.

Milena havia se tornado uma morena de corpo bem-feito, de cabelos ondulados, olhos verdes, rosto oval, lábios carnudos e duas covinhas na face quando sorria.

A princípio, Joana orgulhava-se da beleza da filha, de sua inteligência e da facilidade com que a jovem lidava com as pessoas à sua volta.

Já Gerson, encantado com a filha, não escondia seu ciúme, zelando por ela de tal sorte que Joana por vezes reclamava:

— Deixe a menina, Gerson. Ela tem mais juízo do que você. Eu confio nela!

— Eu também confio nela! Eu não confio nos outros!

Gerson estava sempre fazendo recomendações para que Milena tivesse cuidado, não conversasse com estranhos e, quando acontecia alguma coisa ruim nos jornais, ou na televisão, com alguma jovem, ele fazia questão de mostrar-lhe, com a intenção de protegê-la.

Joana não gostava que o marido agisse dessa forma. Ela sentia que Milena era uma pessoa calma, que sabia portar-se, e que a filha não era como as outras mocinhas que ela conhecia. Quando Gerson exagerava, Joana intervinha:

— Ela tem juízo! Sabe o que quer. Nunca nos deu motivo de preocupação. Até as pessoas de mais idade gostam de conversar com nossa filha.

— Mas ela vive rodeada de muitas mocinhas sem juízo, que estão sempre falando de namorados.

— Sobre o que você gostaria que as mocinhas conversassem? Elas sonham com o amor, querem se casar, como nós fizemos.

— Aí que mora o perigo, Joana. Há muitos rapazes safados, que sempre estão em volta das meninas. Minha mãe dizia sempre que elas gostam mais desses rapazes.

— Chega de dizer isso na frente de Milena. De tanto repetir, até parece que está sugerindo isso. Cruz-credo!

— Eu quero ver o malandro que vai iludir minha filha! Não vai viver para contar a história.

Milena tomou café apressada, apanhou sua pasta, deu uma olhada no espelho e despediu-se da mãe.

— Estou indo. Assim que terminar a aula, voltarei correndo para casa. Quero ajudá-la a arrumar tudo, mãe.

— Vá com Deus, minha filha.

Depois que a jovem se foi, Joana sentou-se para tomar o café. Nena aproximou-se:

— Dona Joana, seu Augusto da padaria mandou lhe dizer que amanhã vai trazer sua encomenda bem cedo.

— Vai dar tempo de fazermos os sanduíches.

Enquanto tomava o café, Joana pensava no quanto a vida da família havia mudado, depois que Milena nascera. Nena, cujos pais haviam morrido em um acidente quando ela tinha catorze anos, ficara só no mundo. Milena tinha oito anos quando ela e Gerson a acolheram. Nena, agradecida, fazia o que podia para cooperar.

O negócio que iniciaram com dedicação, muito trabalho, com o capricho com que faziam tudo e a honestidade com que agiam e recebiam os clientes, havia se transformado em uma lanchonete, que contava já com alguns empregados.

Durante esse tempo, Nena mostrara-se tão eficiente, que eles decidiram dar-lhe um salário, o que a deixara radiante. Aos vinte e três anos, ela tornara-se uma mulata forte, bonita, sorriso pronto, olhos grandes e cabelos soltos nos ombros.

Desde o começo, a jovem afeiçoara-se a Milena, por quem nutria grande admiração e a quem fazia de tudo para alegrar. As duas conversavam muito e riam por qualquer coisa.

Durante os anos que se seguiram, trabalhando, economizando, pensando no futuro, Gerson e Joana compraram um espaçoso sobrado, deixando a pequena casinha que haviam alugado para trás, ao saírem da favela.

Em meio a lembranças, Joana suspirou satisfeita e continuou rememorando. Tudo havia culminado na compra da casa própria, na qual estavam residindo há cerca de seis meses.

Era um sobrado antigo, na Tijuca, isolado de um lado, com garagem, sala de estar, sala de jantar, três quartos e um quintal, onde havia espaço para plantar e, encostadas no muro, mais duas salas que a família fizera de depósito para seus materiais de trabalho.

Gerson e Joana sempre comemoravam os aniversários da filha, mesmo nos primeiros tempos. No barraco, nesse dia sempre havia bolo, refrigerante e doces. E os filhos da Zefa sempre compareciam à festa com violão e alguns instrumentos simples de percussão para alegrar a comemoração.

Era a primeira festa na casa nova e, desta vez, Milena convidara alguns colegas da escola. A jovem estava terminando o colegial e sempre fora boa aluna. Devido à presença dos colegas na comemoração, era natural que ficasse ansiosa com o aniversário.

Joana, por sua vez, também ficava insegura em receber pessoas desconhecidas, pois, entre os amigos da filha, só Renata costumava visitá-los. Apesar de manter amizade com várias alunas, Milena trouxera a jovem para sua intimidade, desde o tempo em que moravam na pequena casa da vila.

Joana divagava, pensando em seus tempos de colégio. Ela não terminara o primário. Por muitos anos, morou no subúrbio e precisou deixar a escola para ficar em casa cuidando dos dois irmãos pequenos, enquanto os pais saíam cedo para trabalhar em uma chácara.

Apesar de não ter conseguido estudar, Joana gostava de ler e, às vezes, quando ganhava algum dinheiro, ia a um sebo escolher um livro. Assim que Joana se tornou uma mocinha, a mãe dela começou a sofrer de reumatismo e não pôde mais trabalhar, ficando em casa para cuidar dos meninos.

Joana, então, empregou-se como doméstica na casa de uma professora, onde havia uma biblioteca que, além de livros de estudo, contava com romances. Ela logo se interessou pelas obras, e, para sua alegria, a patroa permitia que ela lesse aqueles livros.

Joana dormia no emprego e só ia para a casa dos pais uma vez por semana. Assim, depois do serviço feito, deliciava-se com a leitura.

Ao recordar-se de todos esses fatos, Joana, depois do café, foi para o quarto, ajoelhou-se e, como sempre fazia, conversou com Deus, agradecendo-Lhe por todas as coisas que a vida lhe dera e pedindo que Ele continuasse a proteger sua família e os abençoasse.

Depois, satisfeita, Joana foi para cozinha continuar os preparativos da festa com o auxílio de Nena.

No dia seguinte, pouco antes das sete horas, Renata tocou a campainha e Nena foi recebê-la.

Depois da troca dos beijinhos e sorrisos, Renata perguntou por Milena.

— Está no quarto se arrumando. Você está linda! Esse vestido verde combina com seus olhos.

Renata sorriu satisfeita. Sabia que seus olhos verdes faziam sucesso onde quer que ela estivesse. A jovem tinha cabelos castanhos e ondulados, que lhe caíam sobre os ombros, pele clara, rosto oval, corpo bem-feito, traços delicados e gostava de ser admirada.

A moça sorriu alegre e respondeu:

— Vou subir para falar com Milena.

Apressada, Renata passou pela copa, cumprimentou Joana com um sonoro beijo na face e depois disse:

— Vou ver Milena, mas volto logo para ajudar no que a senhora precisar.

— Não precisa. Está tudo pronto. Hum! Você está cheirosa!

Renata sorriu alegre e subiu até o quarto da amiga. Bateu na porta e foi entrando.

Milena estava diante do espelho, maquiando-se.

— Como você está linda! — disse Renata alegre.

Milena virou-se sorrindo:

— Você também! Desta vez, você caprichou!

— Eu convidei meu primo Davi. Você disse que eu poderia chamar alguém.

— Davi? É aquele do retrato que eu vi na sua casa?

— É. Ele logo chegará.

— Eu convidei o Marcos.

Os olhos de Renata brilharam.

— Acha que ele virá?

Milena deu de ombros.

— Não sei... Ele disse que teria o maior prazer em vir. Só precisaria livrar-se de outro compromisso.

— Pode ter sido desculpa... Marcos não é muito sociável, está sempre sozinho.

— Pode ser timidez. Eu o convidei, porque sei que você se interessa por ele. Quero que nesta festa todos se divirtam.

— Vamos ver como ele se porta. É a primeira vez que temos essa chance.

Pouco depois, as duas desceram, e Milena pediu:

— Você me ajuda a receber os convidados? Estou tensa.

— Você?! Nunca a vi perder a calma! Há quem comente que você não tem nervos.

— De fato, gosto de viver em paz. Evito assuntos desagradáveis.

— Sabia que isso nos tem poupado de alguns aborrecimentos? Do jeito que as fofocas correm soltas no colégio, onde todo mundo fala mal uns dos outros... Eu também não gosto de confusão.

A campainha tocou, e Nena foi abrir a porta. Bernardo entrou sorridente, acompanhado de seus dois irmãos, que traziam os instrumentos.

Depois dos cumprimentos, Milena os levou à sala onde eles deveriam tocar. Enquanto os rapazes arrumavam os instrumentos, a jovem perguntou:

— Por que Lídia não veio com vocês?

Bernardo sorriu, abanou a cabeça e respondeu:

— Ela virá com a mamãe. Não deu para esperá-la. Lídia demora demais, e nós queremos dar conta do recado. Ensaiamos mais de duas semanas.

Gerson aproximou-se deles satisfeito. Seus olhos brilhavam de alegria ao admirar a animação das duas mocinhas e a alegria dos meninos. Comovido, sentou-se em um canto observando tudo. Sentia-se gratificado por ter conseguido melhorar de vida.

Aquela noite era especial para ele. Significava muito mais do que uma festa de aniversário. Por isso, deixara a lanchonete com seu funcionário de confiança e fora para casa aproveitar a festa.

Nena aproximou-se de Joana na copa, sorriu e disse:

— Seu Gerson está que é só alegria! Dá vontade de *botá* um babador nele!

— Eu também preciso de um. Milena é a moça mais linda que eu já vi — Joana observou.

— Cruz-credo! Depois dessa festa, Milena vai precisar ir ao centro para benzer o quebranto.

Joana pensou um pouco. Ela ainda não se

conformara em ver Milena conversando com espíritos. Para ela, a alma dos mortos não podia falar com os vivos.

Depois que ela começara a levar a filha ao centro espírita, Milena, com o passar do tempo, deixara de mencionar os espíritos, e Joana ficara satisfeita.

No entanto, após completar treze anos, a jovem recomeçara a mencionar a presença dos espíritos, e Joana voltou a conversar com dona Áurea, pedindo-lhe que a impedisse. Porém, Áurea não concordou:

— Não dá para evitar, Joana. Essa é uma conquista do espírito dela.

— Estou com medo! Gente que já morreu deve viver no outro mundo e ficar longe de nós!

Áurea fixou os olhos em Joana e respondeu:

— Milena não corre perigo, pois sabe lidar muito bem com essas energias. Além disso, sua filha tem muita proteção dos espíritos superiores. Você está insegura porque, além de não ver os espíritos, não consegue controlar esses fenômenos. Mas eu lhe garanto que no estado dela é normal. Milena fala com naturalidade.

Joana suspirou, pensou um pouco e depois disse:

— Eu ficaria muito sossegada se ela parasse de fazer essas coisas...

— Joana, você diz que tem fé, mas não acredita na proteção divina. O medo acaba atraindo justamente o que você teme. Pare de pensar no mal, para evitar que ele faça parte de sua vida.

— Deus me livre! Eu só quero o bem de minha filha e de nossa família!

— Quando você duvida da bondade de Deus, mesmo depois de a vida lhe dar tantas coisas boas, está sendo ingrata. Acha isso certo?

— Todos os dias, dona Áurea, eu agradeço a Deus por estarmos tão bem.

— Você diz isso, mas não faz. Depois que Milena nasceu, a vida de vocês mudou. Ela lhes despertou a força para trabalhar e melhorar de vida. Sua filha chegou ao mundo acompanhada por espíritos bons, que os inspiraram com ideias novas e os apoiaram. Vocês trabalharam, se esforçaram, e eles puderam auxiliá-los a progredir.

— Isso é verdade. Nós trabalhamos muito para ter o que conseguimos. Milena foi a nossa luz.

— Então, não alimente seus medos, se deseja que as coisas sejam cada vez melhores.

Depois da conversa que teve com Áurea, Joana tentou controlar o medo que tinha dos espíritos, quando Milena decidiu matricular-se na escola de médiuns do centro, aos catorze anos. Ela não se opôs e decidiu acompanhar a filha.

Na primeira aula, Áurea colocou Milena ao redor da mesa e deixou Joana sentada na plateia.

O coração da mãe da jovem batia descompassado e ela sentia arrepios pelo corpo. Joana colocou toda a sua atenção na filha, com a intenção de protegê-la.

Depois da leitura de um trecho do Evangelho e de várias pessoas tomarem a palavra para comentar o tema, o grupo passou para a parte prática. As luzes foram apagadas, ficando apenas acesa uma fraca luz vermelha.

Temerosa, Joana redobrou a atenção sobre a filha, mas uma sonolência a acometeu e ela começou a bocejar. Em seguida, a cabeça de Joana pendeu e ela adormeceu.

Quando acenderam as luzes, Joana despertou assustada. Olhando em volta, viu que algumas pessoas falavam sobre o que sentiram e que duas pessoas na plateia abraçavam Milena, comovidas porque o espírito que ela recebera havia atendido ao caso delas e sugerido a solução.

Admirada, Joana não entendia o que havia acontecido. Acompanhara a filha na intenção de protegê-la, mas a preocupação, a penumbra, a música suave no ar fizeram-na ceder ao cansaço. Joana, no entanto, não ia desistir. Da próxima vez, ficaria mais atenta.

O fato, porém, voltou a acontecer nas semanas seguintes. No fim de casa sessão, Joana acordava e, enquanto as pessoas comentavam os acontecimentos, muitos deles envolvendo o transe de Milena, ela não se conformava.

Depois da quinta semana, Joana não foi embora logo do centro. Esperou uma oportunidade e aproximou-se de Áurea, que dava as aulas e no final ficava rodeada de pessoas.

Assim que Áurea se dispôs a ouvi-la, Joana contou o que estava acontecendo e finalizou:

— Às vezes, em casa, eu perco o sono pensando nas coisas que tenho de resolver, mas aqui eu tento ficar mais atenta e observar o que está acontecendo... No entanto, dona Áurea, percebi que, assim que a luz se apaga, eu começo a bocejar e adormeço sem sentir. Tento evitar que isso aconteça, mas não consigo e acordo envergonhada. Parece que estou fazendo pouco caso da aula. Tenho até vontade de não vir mais...

Áurea sorriu e perguntou:

— Como você tem se sentido em casa, durante a semana?

— Em casa, eu estou muito bem. Gerson disse que estou mais alegre, porque me pega cantando enquanto estou fazendo meu serviço. Mas eu quero saber o que acontece aqui. As pessoas comentam, falam da Milena, mas eu não sei nada, não vejo nada... Eu queria saber.

Os olhos de Áurea brilharam, quando ela respondeu:

— Talvez nossos amigos espirituais estejam querendo lhe mostrar que são competentes para controlar o que acontece aqui, aguardam pelo seu cochilo e aproveitam para levá-la para fora do corpo a fim de refazer suas energias. Tenho acompanhado suas saídas do corpo. Você passeia com eles, mas, ao voltar, esquece os lugares por onde andou.

Joana arregalou os olhos:

— Eu saio do corpo e fico voando por aí?

— É isso o que você faz quando dorme todas as noites. De vez em quando, você não sonha que está passeando por outros lugares?

— Ah! Mas sonho é imaginação. Não é de verdade.

— Há vários tipos de sonhos, Joana. Daqui a alguns dias, vou dar uma aula sobre os sonhos. O importante é que você esteja bem, pois Milena está melhor a cada dia.

Gerson aproximou-se:

— Joana sempre lhe dando trabalho. De tanto ela falar, eu decidi vir assistir a uma aula dessas. Gostei daquela história que Milena nos contou. Só que a voz dela mudou, falava como homem. Não sei como ela fez isso.

— Era o espírito de um homem quem estava falando por meio dela. Milena estava sob o efeito das energias desse espírito.

Gerson olhou-a admirado e comentou:

— Gostei muito do que ele disse. Isso me fez pensar em coisas boas, e eu me senti muito bem.

— Trata-se de um espírito muito esclarecido.

— Obrigado, dona Áurea. A lanchonete dá muito trabalho, mas, quando eu puder, quero vir aqui mais vezes.

— Venha mesmo. Obrigada pelo carinho.

O casal se despediu de Áurea e saiu. Milena conversava do lado de fora do centro, trocando ideias sobre o tema de estudos da noite. Vendo os pais chegarem, despediu-se do grupo e foi para casa.

Milena e Renata surgiram na copa. Joana lembrou-se da festa e sorriu satisfeita:

— Vocês estão lindas!

— Mãe, está tudo bem?

— Sim. Logo os convidados chegarão! Preciso me arrumar.

Milena sorriu e respondeu:

— Você tem que ficar muito linda! Hoje é uma noite de comemoração! Vamos cantar, dançar, celebrar.

— Isso mesmo — reforçou Renata sorrindo. — Vamos conversar com Bernardo e perguntar que músicas eles vão tocar.

Enquanto as duas jovens iam conversar com os amigos, Joana acompanhou-as com os olhos e notou o quanto Milena havia mudado nos últimos meses. Ganhara altura, seu corpo tornara-se cheio de curvas e sua postura estava mais elegante. Sua menina havia crescido.

Essa descoberta a intimidou um pouco. A beleza pode ser uma faca de dois gumes. Joana não se achava bonita e Gerson, seu marido, era um homem bom, mas comum. Como eles haviam gerado uma moça tão linda? Parecia-lhe um milagre.

Milena era alta, tinha corpo bem-feito, postura elegante, rosto moreno, cabelos castanhos e levemente ondulados, que lhe caíam pelos ombros, boca carnuda e grandes olhos verdes, que chamavam, desde pequenina, a atenção das pessoas.

No fundo, Joana preferia que a filha não fosse tão bonita. Ela tinha medo da beleza física. Preferia que a filha não chamasse tanta atenção, principalmente dos homens.

De uns tempos para cá, Joana adotou a postura que antes era do marido, ou seja, passou a ficar sempre em volta, protegendo a filha a tal ponto que Gerson teve de chamar sua atenção:

— Deixe a Milena fazer as coisas sozinha. Nossa filha precisa aprender a lidar com a vida. Pare de ficar sempre colada a ela.

— Você vivia atrás dela, vigiando seus passos.

— Percebi com os anos que não precisava me preocupar. Milena é ajuizada, estudiosa. Nunca nos deu preocupação.

— Mas tem muita opinião e só faz o que quer. É muito nova, não tem maturidade, por isso tenho de ficar do lado dela.

— Isso acontece porque nós não tivemos mais filhos. Eu bem que queria...

— Eu também. Mas não vieram.

Joana olhou o relógio e tratou de subir para se arrumar. Dentro de meia hora, os convidados começariam a chegar e ela precisava estar pronta.

Chegou apressada ao quarto e, lembrando-se das palavras da filha, caprichou no visual. Queria que Milena se orgulhasse dela. Por instantes, esqueceu seus medos e cuidou de fazer o melhor que podia para melhorar a aparência.

Quando terminou de arrumar-se, Joana sorriu satisfeita. Estava certa de que a festa seria um sucesso. Desceu pronta para receber os convidados.

Capítulo 4

Bernardo começara a tocar e, aos poucos, os convidados foram chegando, sendo recebidos por Milena e Renata, que os apresentavam a Gerson e Joana, que logo os deixavam à vontade.

A casa tinha duas salas grandes. Em uma delas, os móveis foram retirados, restando apenas algumas cadeiras. Os músicos foram acomodados em um canto, deixando espaço para os convidados dançarem.

Na outra sala, a mesa, que fora posicionada em um canto, estava arrumada com capricho e nela foram colocadas as comidas e as bebidas. Gerson trouxera dois funcionários da lanchonete para servir os convidados e ele mesmo cuidava para que nada faltasse a todos.

Além de Zefa e João, havia mais dois casais com os quais Gerson e Joana mantinham relações de amizade. Enquanto Bernardo alegrava os jovens tocando e cantando com entusiasmo, os mais velhos conversavam na outra sala.

Milena estava dançando com um colega, quando viu chegar à porta da sala um rapaz desconhecido. Era alto, tinha pele morena, que contrastava com seus cabelos louros levemente ondulados, porte elegante. Estava muito bem-vestido, e seus olhos se encontraram com os de Milena, que o fixou séria.

Sem desviar os olhos, o rapaz sorriu-lhe, mostrando seus dentes alvos e bem distribuídos.

— Com licença, preciso receber um convidado — disse ela ao parceiro de dança e encaminhou-se imediatamente na direção do rapaz parado à porta. Ao mesmo tempo, Renata chegou pelo lado oposto e abraçou o jovem sorrindo.

Voltando-se para Milena, Renata apresentou:

— Milena, este é meu primo Davi.

A voz de Milena estava um pouco trêmula quando estendeu a mão ao rapaz dizendo:

— Seja bem-vindo.

Sem desviar os olhos, o rapaz apertou a mão que Milena lhe oferecia:

— Obrigado pelo convite. Renata a admira muito. Fala tanto de você que eu tinha muita vontade de conhecê-la.

— Ela deve ter exagerado. Nós somos muito amigas.

— Renata é muito verdadeira em suas opiniões. Não faz amizades com facilidade.

Joana surgiu trazendo um convidado, e Milena apressou-se a recebê-lo, estendendo-lhe a mão:

— Marcos! Que bom vê-lo!

Depois dos cumprimentos, Milena apontou Renata e disse:

— Você conhece a Renata?

— De vista. Como vai?

— Bem. Este é meu primo Davi.

Os rapazes apertaram as mãos.

— Vocês querem tomar alguma coisa?

— Mais tarde — respondeu Davi.

Marcos comentou:

— Gostei de sua mãe. Fez-me lembrar de uma tia que mora no interior e de quem eu gosto muito.

Os olhos de Milena brilharam quando disse:

— Ela é mãezona mesmo! E, quanto a vocês, façam de conta que estão em casa! Fiquem à vontade.

Joana chamou Milena para atender a um casal de jovens que acabava de chegar, e a jovem, então, apressou-se a recebê-los. Eram amigos de Bernardo, e Milena abraçou-os satisfeita.

A festa estava animada e a presença de Davi e Marcos dera às duas amigas uma emoção maior. Fazia tempo que Renata se sentia atraída por Marcos e, pela primeira vez, pôde ser-lhe apresentada.

Mais alguns convidados chegaram, e Milena circulou entre eles dando-lhes as boas-vindas e apresentando-os a seus pais.

Durante esse tempo, a jovem notou o olhar de Davi acompanhando seus passos e começou a sentir-se atraída por ele.

Davi e Marcos continuavam conversando com Renata e, assim que Milena voltou para junto deles, Davi, fixando-a, não lhe deu tempo para dizer nada. Simplesmente colocou a mão no braço da jovem, convidando:

— Venha, vamos dançar essa!

Milena deixou-se conduzir prazerosamente por Davi, enquanto Marcos e Renata faziam o mesmo. Com o rosto próximo ao de Renata, Marcos disse satisfeito:

— Eu adoro esta música. Estava ansioso para dançar com você!

Renata sorriu e, com olhos brilhantes, concordou:

— Essa música é contagiante. Não dá para ficar parado.

— Não foi bem isso o que eu quis dizer... Há tempos, eu sentia vontade de conhecê-la melhor. Estava apenas esperando uma oportunidade para isso. Você deve ter notado meu interesse.

— Trocamos alguns olhares, mas, como você nunca se aproximou, esqueci o assunto.

Marcos afastou um pouco a cabeça, olhou Renata nos olhos e perguntou:

— Você é sempre assim? Difícil? Um sorriso seu, e eu a teria abordado.

Renata sorriu e não respondeu. Marcos aconchegou-a um pouco mais, e os dois entregaram-se ao prazer da dança.

Davi e Milena dançavam em silêncio. Sentindo o calor do corpo da jovem e o delicioso perfume que vinha de seus cabelos, ele tinha vontade de beijá-la e a custo tentava controlar a emoção.

Milena, com o coração descompassado, sentia a respiração de Davi próxima de seu ouvido e desejava que a música não acabasse e que eles pudessem ficar assim para sempre.

Quando a música terminou, os quatro ficaram em silêncio, cada um sentindo as emoções do momento.

Milena e Renata haviam combinado de animar a festa e de dar atenção a todos os convidados, mas, depois daquela dança, ambas esqueceram tudo e continuaram o resto da festa com os dois rapazes.

Passava da uma da manhã, quando os convidados foram se despedindo e apenas os dois casais continuaram dançando. Bernardo tocou um pouco mais e depois decidiu parar. A festa acabara.

Enquanto guardavam os instrumentos, os músicos comentavam a festa e aproveitavam para comer um pouco mais. Davi e Marcos, ao lado de Milena e Renata, conversavam com os rapazes e falavam de música. Ao mesmo tempo, Joana, Gerson e seus auxiliares davam uma ordem na casa.

Passava das duas da manhã, quando Bernardo e seus irmãos resolveram ir embora. Davi ofereceu--se para levar Renata e Marcos em casa, e todos se despediram dos anfitriões, agradecendo-lhes pela festa.

Milena acompanhou os amigos até o portão, e Davi beijou-a delicadamente na face:

— Está difícil ir embora. Não vou esquecer essa noite. Quero vê-la de novo, Milena.

— Podemos ser amigos. Eu também gostaria de conhecê-lo melhor.

— Eu quero ser mais do que um amigo. Acha que tenho chance?

Os lábios de Milena entreabriram-se em um doce sorriso:

— Acho que vale a pena experimentar.

— Nesse caso, pode esperar por notícias minhas em breve.

Depois que eles se foram, Milena entrou em casa. Gerson e Joana a esperavam. A jovem abraçou os pais com carinho, agradecendo alegre:

— Obrigada por tudo que vocês fizeram por mim. Por todo o carinho de sempre e pela festa dessa noite. Sou uma moça de muita sorte por ter vocês como pais.

Os três abraçaram-se felizes. Eles não viram, mas, naquele momento, os espíritos de Josias e

Lauro oravam com eles, derramando-lhes energias de luz e paz.

Depois, quando os três se preparavam para dormir, os dois espíritos, satisfeitos, elevaram-se, atravessaram as paredes da casa e desapareceram rumo ao infinito.

A partir daquela noite, Davi e Marcos, que se tornaram amigos, passaram a frequentar assiduamente tanto a casa de Milena quanto a de Renata. Dava gosto ver os quatro estudando, conversando e saindo juntos para divertirem-se.

Joana gostava dos dois rapazes e via com bons olhos aquela amizade. Gerson, por sua vez, estava sempre por perto, procurando ouvir o que os jovens conversavam e, embora percebesse que eram bons rapazes, notara o interesse de Davi, cujos olhos brilhavam sempre que fixava Milena. Já Marcos, mais discreto, cativara sua confiança.

Milena queria ser advogada, e Renata preferia Letras. A jovem sonhava em ser escritora.

Ambas decidiram, então, se unir para estudar, pois queriam prestar vestibular sem fazer o cursinho preparatório.

Davi já estava cursando o segundo ano de Direito e Marcos o primeiro de medicina. Notando o esforço e a vontade de aprender das duas jovens, os dois rapazes dispuseram-se a auxiliá-las nos estudos.

As provas do fim do ano já haviam começado e, como todos estudavam durante o dia, à noite se reuniam na casa de Milena a fim de passarem as matérias juntos. Davi já havia terminado as provas, mas Marcos ainda não.

Apesar das diferenças nas áreas de conhecimento, os jovens trocavam ideias com tal entrosamento, disposição e alegria, que se beneficiavam com aquelas reuniões. Estudar, para eles, tornara-se um prazer.

Renata, sempre muito criativa, costumava imaginar histórias envolvendo situações difíceis, a fim de que cada um encontrasse uma solução. Milena ia mais fundo nesses assuntos, enquanto Marcos ouvia calado para só no fim dar sua opinião.

O ano acabou, as duas se formaram no colegial e, em seguida, prestaram vestibular conforme desejavam. Renata recebeu o resultado das provas primeiro, e Milena, que prestara exame para duas faculdades, precisou esperar um pouco mais. Ambas as amigas, no entanto, conseguiram passar.

Naquela noite, os quatro se reuniram com os pais de Milena para comemorar as aprovações no vestibular.

Gerson fez questão de abrir um champanhe e, com alegria, recebeu os dois rapazes que tanto haviam contribuído para aquela vitória.

Felizes, todos conversavam fazendo planos para o futuro. Depois do brinde, os quatro sentaram-se na varanda.

Enquanto Marcos, entusiasmado, comentava o que aprendera no curso de medicina — e Renata o ouvia encantada —, Davi, voltando-se para Milena, disse:

— Eu escolhi fazer Direito por vocação. Sonho poder contribuir para que a justiça seja feita sempre do jeito certo. E você, o que a motivou a seguir essa carreira?

— Eu acredito que todas as pessoas desejam fazer coisas boas, ter sucesso, vencer na vida, mas têm dificuldade para encontrar o caminho verdadeiro. Por isso, cometem erros, sofrem, demoram a encontrar a paz e a felicidade. Eu sonho poder lhes mostrar como se faz isso.

Davi admirou-se:

— E você sabe como fazer isso?

— Eu sou espiritualista, Davi. Acredito na eternidade do espírito e na reencarnação. Essa é a minha maneira de ver a vida. Nunca falei com você sobre o assunto, porque se trata de algo muito pessoal.

Davi ficou calado durante alguns segundos e depois disse:

— Nós nunca trocamos ideias sobre religião.

— Não falo sobre religião. Falo sobre as experiências que tenho vivido desde meus primeiros anos.

— Você me surpreende!

— Por quê? Para mim tudo é natural!

Pensativo, Davi remexeu-se na cadeira e não respondeu. Com a cabeça baixa, permaneceu em silêncio.

Milena levantou o rosto do rapaz, fixou os olhos nos dele e disse com voz suave:

— Eu vejo e falo com espíritos desde que era bem pequena.

— Por que nunca mencionou isso?

— Essa é a verdade da vida. Para mim é natural.

Davi levantou-se, respirou fundo e disse sério:

— Eu não gosto de falar de gente morta. Não gosto, fico mal. Acho que vou para casa.

Milena fixou-o séria e respondeu:

— Sinto que chegou a hora de você conhecer como as coisas são, Davi. Do que você tem medo?

— Não quero falar sobre isso. Eu preciso ir... Não estou me sentindo bem.

Davi levantou-se e saiu apressado, sem se despedir.

Marcos olhou admirado, e Renata perguntou:

— O que aconteceu? Davi não está bem?

Os olhos de Milena estavam tristes, quando ela respondeu:

— É, ele não está bem. Vamos mandar para Davi pensamentos de calma e bem-estar. Vou entrar. Fiquem à vontade.

Renata levantou dizendo:

— Está na hora de eu ir embora. Marcos vai me deixar em casa.

Os dois despediram-se, e Milena foi para o quarto. Desde que conhecera Davi, ela nunca comentara o assunto com ele, porque sabia que a família do rapaz era muito católica e frequentava a igreja com assiduidade.

Embora gostasse muito de Davi, Milena sentia que não podia abdicar de seus projetos espirituais. A jovem sentou-se na cama, elevou seu pensamento e pediu a Deus que a inspirasse a encontrar uma forma de auxiliar o rapaz.

Para ela, era confortador saber que a vida continua depois da morte do corpo e que reencarnamos na Terra várias vezes, a fim de aprendermos as verdades da vida e conquistarmos a sabedoria.

Milena não tinha dúvidas quanto a isso e sabia que, um dia, Davi seria forçado a tomar conhecimento dessa verdade. Enquanto isso, ela continuaria a cuidar da própria vida e seguir adiante.

Durante os dias que se seguiram, Davi não apareceu. E, depois de uma semana, Gerson comentou:

— Davi não tem vindo... Ele viajou?

— Não sei. Deve estar ocupado com os estudos.

— Imagino o que deve ser ler todos aqueles livros! Acredito que seja estafante mesmo.

Joana, que estava perto, não interveio. Ela notara que, na última visita, o rapaz saíra sem se despedir, o que não era habitual. Quando se viu a sós com Milena, comentou:

— Davi não estava muito bem quando saiu daqui... Nem se despediu. Será que ele está doente?

— Não, mãe. É que aconteceu o inevitável. Contei a ele sobre minha mediunidade.

— Eu sabia que ele não ia aceitar, filha. A mãe dele não sai da igreja. A Zefa me contou que ela cuida da sacristia do padre José. Você não devia ter contado nada.

— Eu estou muito feliz por conhecer a verdade da vida, mãe. Um dia, ele terá de aprender o caminho. Por ora, acredito que ele não vá aparecer por algum tempo. Apenas lamento que ele pense assim. Quanto a nós, vamos seguir nosso caminho, com a mesma alegria e paz.

Os olhos de Joana brilhavam quando fixou a filha e disse:

— Eu acredito em tudo que você diz. Você me deu a prova antes de nascer. Apareceu em sonho, linda, e pediu-me para que eu a chamasse de Milena. Nunca vou esquecer esse sonho!

Milena abraçou a mãe com carinho e disse sorrindo:

— Sou muito feliz por ser sua filha e ter o melhor pai do mundo! Nós não precisamos de mais nada para sermos felizes.

— Eu pensei que um dia vocês fossem se casar. E, para ser sincera, tinha receio por causa de sua mediunidade. Eles não aceitariam, filha, pois têm preconceitos.

— As pessoas são livres. Cada um tem o direito de pensar e escolher como quer viver. Nós temos de respeitar.

— Mas você sabe que é verdade e deveria tentar convencê-los. Estaria fazendo um bem.

— Eu não posso me intrometer na vida dos outros, mãe. Não tenho esse direito. Só tenho o poder de cuidar de mim. Essa é a minha obrigação. Quanto às outras pessoas, estou certa de que a providência divina cuidará de todos na hora certa, do melhor jeito e com mais eficiência. Nós não precisamos nos preocupar com isso.

— Você tem o dom de me acalmar. Eu estava preocupada com Davi, mas já passou.

Milena abraçou Joana, deu-lhe um sonoro beijo na testa, e recomendou:

— Isso mesmo. Vamos ficar em paz.

Meia hora depois, Renata chegou à casa de Milena, e as duas foram conversar no quarto. Assim que entraram no cômodo, Renata perguntou:

— Então, Davi deu notícias?

— Não. Nem sinal.

— E você, como está?

— Bem. Eu sempre soube que ele ainda tem preconceito.

— Que pena! Você gosta tanto dele!

— Continuo gostando. Ele tem muitas qualidades, mas não vou mudar o que sinto só porque ele pensa diferente de mim. Sei que, algum dia, Davi ainda chegará aonde tem de ir. Quanto a mim, pretendo aproveitar muito bem esta chance que a vida me deu. Vou estudar muito, quero me tornar a melhor jurista que conseguir ser e cuidar de minha carreira. E pretendo realizar alguns projetos que tenho em mente quando me formar.

— Não está nem um pouco triste de ter terminado o relacionamento?

— Estou, mas entendo e respeito a maneira de Davi pensar e ser. Nós temos posturas muito diferentes. Não há como manter laços de amor e muito menos de amizade dessa forma. Já seu namoro com Marcos está cada dia melhor! Vocês se entendem e se amam.

— É verdade. Marcos é um espírito do bem. Vai ser um médico abnegado e presente. Estou certa de que ele será um ótimo profissional.

— E um ótimo marido, gentil e amoroso!

— Estamos pensando em nos casar assim que ele se formar. Eu gostaria que você e Davi também se casassem e fossem felizes. É uma pena que ele tenha se afastado.

— Não lamente. Não vale a pena. O que é meu está a caminho. Eu confio na vida e estou disposta a me dedicar inteiramente aos projetos que desejo realizar e estou certa de que sairei vencedora.

Os olhos de Renata brilhavam quando ela fixou a amiga e disse:

— Eu admiro sua força e sua disposição, Milena. Estou certa de que seus projetos serão realizados com sucesso. Já eu tenho apenas a ambição de ser uma boa esposa para Marcos e ter uma família feliz. É só isso que desejo!

Abraçadas, as duas continuaram conversando e trocando ideias para o futuro.

Capítulo 5

No decorrer dos dias, Davi não apareceu mais na casa de Milena como era habitual. Gerson estranhou a ausência do rapaz e comentou com a filha:

— Davi sumiu. Estará doente?

— Penso que não. Ele deve estar ocupado com os estudos.

Joana, que estava do lado, fixou-os preocupada, mas não interveio. Depois que Gerson saiu para o trabalho, ela foi ter com Milena e comentou:

— Eu ainda acho que Davi, apesar do preconceito que tem, vai voltar a procurá-la. Ele parecia tão apaixonado!

— Ele não virá, mãe. Por enquanto não tem condições de entender meu ponto de vista.

— Mas você gosta tanto dele...

— Gosto, mas sinto que ele ainda está muito ligado às opiniões dos outros. Nossos caminhos não estão seguindo na mesma direção.

— Como pode ter tanta certeza disso?

Milena pensou um pouco e depois respondeu:

— Eu sinto que ele não faz parte de minha vida, mãe.

— Tenho certa tristeza quando penso na atitude dele.

Milena abraçou Joana com carinho e respondeu com convicção:

— Pois eu não. Quero viver minha vida com alegria, aprender, realizar coisas boas, aproveitar o tempo aqui. Sabe, mãe, viver neste mundo é uma chance maravilhosa de progresso. Eu sinto uma vontade muito grande de viver, progredir e me tornar uma pessoa melhor. Foi isso que eu vim aprender aqui.

Os lábios de Joana entreabriram-se em um largo sorriso e ela disse:

— Você é a luz que Deus mandou para iluminar nossa vida, filha. Todos os dias, eu agradeço a Ele por ter você bem perto.

Milena fez a mãe sentar-se no sofá, acomodou-se ao seu lado e, segurando a mão de Joana, começou a falar-lhe sobre os projetos que sonhava realizar no futuro. Ela pretendia estudar com afinco as leis e aprofundar-se nos problemas humanos, a ponto de buscar novas ideias para encontrar saídas que favorecessem o progresso da sociedade.

Apesar de ainda não saber como faria isso, Milena sentia que precisava preparar-se e estudar muito para seguir esse caminho.

Embevecida, Joana ouvia a filha, sentindo que, um dia, Milena alcançaria o que queria e seria muito feliz.

As aulas começaram. Milena dedicou-se com disposição aos estudos, passara em duas faculdades e, por coincidência, uma delas era a mesma em que Davi estudava. A jovem optara por essa, porque a instituição era melhor avaliada em termos de qualidade de ensino.

Quando Joana soube que Milena frequentaria a mesma faculdade que Davi, perguntou logo:

— Você conversou com ele?

— Não, mãe. Estudamos em períodos diferentes. Ainda não nos encontramos.

— Ele não a procurou nem para cumprimentá-la?

— Ainda não o vi.

— Estudando na mesma faculdade, uma hora vocês ainda vão se encontrar.

Milena sorriu e comentou:

— Pode ser, mas isso não me incomoda. Já me entrosei com duas colegas de minha classe e, quanto aos rapazes, estou indo mais devagar. Não tenho interesse em me envolver com ninguém. Só vou me juntar com pessoas que queiram realmente estudar. Vocês estão se esforçando para pagar a mensalidade, que é cara, por isso pretendo aprender o que puder.

O primeiro semestre na faculdade acabou, e Milena fez um balanço do que aprendera e sentiu-se um pouco decepcionada. A jovem ainda não encontrara nos estudos os elementos e os assuntos de que gostaria.

Os trâmites legais, o âmbito judiciário, a prática complicada e burocrática que dificultava soluções efetivas e justas incomodavam-na.

Não era bem isso que ela esperava encontrar. Tinha a impressão de que estava dando voltas sem sair do lugar.

Naquela noite, Milena recolheu-se pensativa e lembrou-se de dona Áurea. Desde que prestara vestibular e iniciara o curso de Direito na faculdade, a jovem deixara de frequentar o centro e começou a sentir saudades das energias espirituais.

Milena acomodou-se na cama e fez uma oração comovida, sentindo saudades de algo que não sabia definir. Aos poucos, foi relaxando até que finalmente adormeceu.

Pouco depois, a jovem levantou-se e olhou em volta. Espantada, Milena viu seu corpo adormecido na cama e pensou: "Para onde estou indo?".

Nesse momento, ela viu um rosto conhecido e sorriu encantada:

— Lauro! Você veio! Que saudade!

Ele a abraçou com alegria.

— Eu sempre estou por perto, conforme havia lhe prometido.

— Que bom! Você chegou em boa hora. Estou confusa. Vamos conversar.

— Primeiro, vamos passear um pouco. Você está precisando refazer suas energias. Vamos visitar os amigos.

Lauro passou o braço em volta da cintura de Milena e os dois foram se elevando, passando através da parede do quarto e subindo um pouco mais.

Milena sentia uma energia gostosa no peito, que se expandia em alegria e bem-estar. Feliz, ela exclamou:

— Que bom seria se eu pudesse ficar aqui para sempre!

— Ainda não é hora. Você tem muito a fazer neste mundo! Veja as luzes da cidade brilhando lá embaixo. Esse é o seu mundo agora, Milena. É nele que terá de viver e aprender. Estar nesse planeta maravilhoso é um privilégio!

— Não sei... Estou insegura. Escolhi uma carreira, mas tenho a sensação de ter me enganado. Não era bem isso que eu queria.

— Não tenha pressa. Vá mais fundo nos assuntos e sinta o que cada um tem para lhe oferecer de melhor. O que importa mesmo é encontrar os elementos que favorecem o progresso. Afinal, essa é a finalidade da vida. Para alcançar o que você deseja, é preciso ir além dos ensinamentos acadêmicos. É preciso sentir as necessidades de sua alma. É aí que você descobrirá como conquistar seus objetivos.

— Estou me sentindo insegura para isso.

— Quando você valoriza mais a cultura e o conhecimento das academias do mundo, acaba entrando nas limitações humanas e se distanciando de seus conhecimentos espirituais. Não nego que há muitas coisas boas e verdadeiras que a humanidade já aprendeu a valorizar, mas, estando mergulhado no mundo material, o espírito continua sujeito a iludir-se com facilidade, porque lhe parece que a vida física é mais objetiva e lhe dá a sensação de ser mais forte. Lembre-se de que seu espírito vem de outras experiências ao longo do tempo e já vivenciou muitas coisas: sofreu, aprendeu, viveu. Sua alma sente e vai fundo em como as coisas são. Não se deixe iludir. Confie em seus sentimentos e vá além do que parece. Você tem como fazer isso.

— Vou fazer o que você está sugerindo.

— Faça mesmo. Lembre-se de que o entusiasmo é fundamental para a conquista de seus objetivos. Estamos chegando a Campos da Paz. Nossos amigos estão nos esperando.

— Estou ansiosa para encontrá-los!

Na manhã seguinte, Milena acordou alegre e bem-disposta. A jovem lembrou-se da presença de Lauro, do passeio que fizeram, e do regresso, quando ele a deixou em casa.

Ela sabia que visitara o lugar em que vivera antes de nascer e se sentia muito melhor, mais confiante. Todas as suas dúvidas em relação aos estudos haviam desaparecido.

Milena apenas não conseguia recordar-se completamente do que acontecera durante o passeio, mas, apesar disso, levantou-se da cama disposta a assumir os estudos com entusiasmo.

A partir desse dia, a jovem mergulhou nos estudos e, embora estivesse sempre em dia com as matérias, procurava aprofundar-se em cada tema da aula, direcionando as questões e observando com atenção como as pessoas reagiam aos assuntos em pauta.

Ao avaliar cada um dos assuntos, Milena logo notava que, embora a verdade estivesse anotada de forma clara, cada pessoa, ao estudá-la, a interpretava do seu jeito e obtinha diferentes resultados.

A jovem percebeu que o nível de conhecimento de cada um fazia a diferença. Os pensamentos da pessoa, suas crenças e a forma como ela enxergava a vida criavam os resultados.

Para Milena, era fácil perceber as ilusões das pessoas à sua volta, que eram indiferentes a coisas importantes que precisavam ser entendidas, a fim de que a vida pudesse fluir-lhes melhor, com mais proveito e alegria.

O que a jovem desejava de fato era poder encontrar uma forma de ensinar a quem estivesse pronto para aprender a conquistar bem-estar e usufruir de uma vida plena, que lhe proporcionasse meios de desenvolver seus dons em potenciais e valorizar sua estadia neste mundo.

Milena sentia alegria de viver. Ela prestava atenção às belezas da vida e à perfeição da justiça divina, que respeita a liberdade individual, age de forma a oferecer a chance de cada um dirigir a própria vida, escolher como quer viver e criar o próprio destino.

A jovem valorizava a beleza da natureza, o prazer de criar coisas boas, produzir, testar capacidades, criar progresso e cooperar com a vida.

Nesses momentos, Milena sentia seu entusiasmo aumentar e uma vontade muito grande de aprender ainda mais e desenvolver um caminho prático que lhe mostrasse com naturalidade como as leis da vida funcionam.

E, quanto mais ela observava as circunstâncias e os fatos à sua volta, mais sentia que a vida poderia ser melhor, se fosse vivida com inteligência.

O poder da escolha é absoluto e o Ser cria o próprio destino. Cada um é livre para escolher como deseja viver, mas colhe o resultado de suas escolhas. Enquanto as verdades libertam, as ilusões trazem dor.

A reencarnação é um programa de libertação criado para promover a evolução do espírito. Ao nascer na Terra, onde a matéria é mais densa, o espírito esquece o passado e, assim, ele pode ser reeducado pelos pais, aprender coisas novas e ir adiante.

Em seu subconsciente estão arquivados todos os acontecimentos, bons ou ruins, vivenciados anteriormente. O que ele já aprendeu em outras vidas favorece para que dê um passo à frente, mas o que ainda não foi bem compreendido dificulta a realização de seus objetivos.

Milena percebia o quanto as pessoas se iludiam com as coisas do mundo e desvalorizam a própria vida, limitando suas faculdades espirituais e não desenvolvendo seus dons.

Reencarnando neste mundo, cuja cultura antiquada favorece o domínio dos mais fortes sobre os mais fracos, algumas religiões pregam o sofrimento como base de progresso, alegando que o Ser já nasce em pecado. Indicam a autoflagelação como castigo e a obediência aos orientadores, para obter uma vida melhor, ocultando as belezas da alma, a força do espírito, criado à semelhança de Deus, e os dons que cada um precisa desenvolver para evoluir, se libertar e ser feliz.

Tais religiões julgam-se mais capazes, têm a pretensão de tornarem-se o caminho único por onde todas as pessoas deverão seguir se quiserem obter uma vida melhor, e isso não é verdade.

A vida, em sua sabedoria, tem condições de cuidar do progresso de todos. O espírito de cada um tem dentro de si tudo de que precisa para assumir a própria vida e cuidar do próprio progresso.

A vida é muito rica em sua diversidade e não cria duas pessoas iguais. Embora existam semelhanças, cada ser é único e possui algo diferente e um caminho que é só dele para evoluir. Durante sua trajetória, é isso que ele procura e, quando o encontra, consegue ser mais feliz.

Milena percebia tudo isso quando se dedicava aos estudos, sempre direcionando os temas à ação. A jovem sentia que só a vivência, a experiência, consegue mostrar a verdade das coisas.

Ela sonhava em desenvolver ideias que despertassem as pessoas e lhes mostrassem a verdade e sentia que a vida poderia ser muito melhor do que é, se cada um se interessasse em evoluir, observasse mais os acontecimentos em volta e acreditasse nas possibilidades de dirigir bem a própria vida e aprender a lidar com as leis naturais, que funcionam e promovem o progresso, permitindo que cada um siga como quiser, no seu ritmo, do jeito que escolher, arcando com os resultados e investindo na própria felicidade.

Com esses sentimentos na alma, Milena, mesmo se dedicando aos estudos, era alegre e não comentava com ninguém seus pensamentos íntimos.

Renata e Marcos gostavam de dançar e sempre convidavam Milena para ir ao clube, pois a jovem adorava dançar e divertia-se muito com o casal de amigos. Ela era sempre muito assediada, mas evitava compromisso.

Renata, no auge do seu namoro, tendo por objetivo casar-se com Marcos depois que ele terminasse o curso, não entendia por que Milena não namorava ninguém. Ela, no entanto, alegava que ainda não conhecera alguém que a interessasse.

Inteligente, Milena não precisava estudar muito para passar de ano na faculdade. Alegre e falante, a moça sabia se expressar com clareza e era sempre convidada a dar sua opinião nas discussões não só pelos colegas como também pelos professores, que sempre lhe pediam para comentar os assuntos do dia.

O tempo foi passando. Milena estava cursando o último ano de Direito, quando recebeu o convite de casamento de Renata e Marcos, que havia se formado no ano anterior. Os dois estavam radiantes e fizeram questão de entregar o convite pessoalmente à amiga.

A conversa fluiu animada. O casal falava da casa que o pai de Marcos comprara como presente de casamento, da festa, dos convidados, e do trabalho de Marcos, que fazia residência médica em um grande hospital.

Depois que os amigos se despediram, Milena acompanhou-os até a rua. Gerson, então, aproximou-se de Joana, que estava na sala. Vendo-o sentar-se ao seu lado, ela perguntou:

— O que foi? Por que está com essa cara?

— Estava pensando no futuro de Milena. Ela é uma moça bonita, só estuda, e até agora não teve um namorado.

— Ela só vai namorar quando se apaixonar. Ela é muito verdadeira em relação a seus sentimentos.

— Apesar de nós termos trabalhado, melhorado de vida, dado a ela estudo e uma vida boa, nossa filha não tem ninguém. A culpa é minha. Eu sou negro, e as pessoas têm preconceito contra minha cor.

— Não acredito nisso, Gerson. Aonde Milena vai, os rapazes se aproximam. Dá para perceber que a admiram. Você está enganado sobre isso.

— Apesar de fazer o meu melhor, de ser do bem, trabalhar com honestidade, sinto que algumas pessoas me desprezam. Estou acostumado. Sempre notei isso. Mas não quero que Milena sofra por minha causa.

Joana colocou a mão sobre a do marido, tentando acalmá-lo com carinho:

— Não se preocupe com isso! Você é o melhor homem do mundo! Todos os dias, eu agradeço a Deus por ter me casado com você! Milena é uma filha adorável e nos ama de verdade. Depois, ela é uma boa moça. Tem sabedoria e veio nos trazer progresso, felicidade. Ela sempre vai ter o melhor.

— É, foi depois que ela nasceu que nossa vida mudou. Nossa filha nos trouxe progresso. Só não quero que ela sofra.

Joana pensou um pouco e disse lentamente:

— Ela só vai passar pelo que for necessário para aprender. Das lições da vida ninguém escapa.

— Pois eu não quero que ela sofra. Estou aqui para fazer tudo para a felicidade dela, nem que eu tenha até de ir embora, sair de casa, para que ela possa ser feliz.

— Não diga besteira. Milena nunca aceitaria isso. Nós vamos continuar do lado dela e, ela vai ser muito feliz.

Gerson não respondeu e se afastou pensativo. Pouco depois, Milena aproximou-se da mãe comentando alegre:

— Eles estavam tão felizes! Esse é um casamento que vai dar muito certo!

Pensativa, Joana não respondeu logo, e Milena perguntou, intrigada:

— O que foi, mãe? Está tão calada! Aconteceu alguma coisa?

— Não. Estou pensando em você. Até agora não namorou ninguém. Toda moça sonha em ter um amor, filha. Você não sonha com isso?

Milena sorriu e respondeu:

— É que ainda não aconteceu. Mas sei que, quando chegar o momento, vai aparecer a pessoa certa, que me fará feliz. É o que vale a pena.

— Você tem ido a festas, se divertido, mantém amizade com colegas da faculdade... Nunca se interessou por nenhum deles?

— O que é meu está a caminho, mãe. Ainda não chegou.

— Não estará sendo muito exigente?

Milena sacudiu a cabeça negativamente:

— Não se preocupe com isso. As coisas têm o tempo certo para acontecer. No momento, tenho outras prioridades. Quero me formar, organizar minha vida e fazer as coisas do meu jeito. Prometo que, quando acontecer, você será a primeira a saber de tudo.

Milena aproximou-se, deu um sonoro beijo na face de Joana e subiu as escadas em direção ao seu quarto.

Gerson, que ouvira a conversa, aproximou-se de Joana, que, ao vê-lo, disse logo:

— Viu? É ela que não quer namorar ainda. É você quem tem complexo por causa de sua cor. A cor da pele é apenas uma questão de raça, não tem nada a ver com caráter, Gerson.

— Você me ama como eu sou, mas a maioria das pessoas tem preconceito.

— Bobagem. Eu vejo que até os mulatos ficam querendo ser mais claros e chegam a se julgar melhores do que os negros, só porque têm a pele um pouco mais clara do que os outros. O valor das pessoas está no que são e em como elas levam a vida. O resto é ilusão. Eu não trocaria você por ninguém. É o amor da minha vida e me faz muito feliz.

Gerson abraçou a esposa com carinho e não disse nada. Sua experiência de vida lhe mostrara que nem todos pensavam como Joana. Ele depositou um beijo na testa da esposa e depois comentou emocionado:

— Eu fui abençoado por ter uma mulher como você!

Joana riu e considerou:

— Você é o homem que escolhi para amar e eu só escolho o melhor! Esqueça os preconceituosos. Uma noite, no centro, dona Áurea contou a história de um homem que era muito preconceituoso e que dizia que negro não tinha alma. Quando ele morreu, acordou no outro mundo, cercado por espíritos de alguns negros que vieram pedir-lhe contas. Para poder vencer o preconceito e se libertar, ele precisou nascer na raça que ele tanto criticava, para aprender tudo que ela lhe dá de bom. Cada raça humana tem seu caminho, sua cultura, sua força. Todas as raças são necessárias e servem a um propósito da vida e são de Deus. Eu adorei essa história.

— Dona Áurea é uma mulher muito sábia. Ela deve estar certa.

— Está mesmo. Há negros que têm mais preconceito que os brancos. Tome cuidado para não se machucar. Tudo que você condena, sem conhecer a verdade, terá de experimentar para aprender como é.

— Ela disse isso mesmo?

— Disse. E eu senti que é mesmo verdade.

— Deve ser. Ela é muito sábia.

Milena apareceu na sala e comentou:

— A conversa de vocês estava muito boa. Ouvi uma parte e gostei. Estou com saudades de dona Áurea. Por causa dos exames na faculdade, faz algum tempo que não vou a centro.

— Falta muito para terminar?

— Não. Falta o último exame, que farei amanhã. Se passar, terminarei o curso.

Gerson perguntou ansioso:

— Acha que vai passar?

— Espero que sim.

Joana interveio:

— Milena nunca repetiu o ano. Ela é inteligente e gosta de estudar. Claro que ela vai passar.

— Se der tudo certo, nós três iremos juntos ao centro agradecer a Deus pelo progresso — programou Gerson com satisfação.

Joana levantou-se dizendo:

— Vou ver como está o jantar. Você vai continuar a estudar hoje?

— Não. Pretendo descansar e relaxar para conseguir ficar bem.

Joana foi à cozinha, onde Nena arrumava a mesa para o jantar, e voltou em seguida dizendo alegre:

— O jantar já vai ser servido.

Pouco depois, os três, abraçados, foram para a copa, onde as travessas já estavam sendo dispostas sobre a mesa.

Capítulo 6

Milena levantou-se apressada da cama e foi direto para o banho. Era seu primeiro dia de trabalho, e ela não queria atrasar-se.

Na noite anterior, havia separado a roupa que achava adequada para desempenhar as funções pelas quais fora contratada.

O escritório do doutor Gilberto Torquato, conceituado advogado criminalista, ficara famoso por defender uma mulher da alta sociedade que, tendo sido traída, dera dois tiros no marido. Ele foi socorrido, mas morreu dois dias depois.

O caso fora muito comentado. No dia do julgamento, ela, que estava sentada no banco dos réus, abatida e triste, era a imagem da dor.

Ao fazer a defesa, doutor Gilberto pôde mostrar seus dons de oratória, descrevendo o sofrimento da cliente. Colocando-a como vítima do caso, ele conseguiu que a mulher fosse absolvida.

A peça de sua defesa foi considerada magistral. Novos casos, então, surgiram, e ele contratou mais dois advogados para auxiliá-lo.

Milena estava feliz por conseguir esse emprego. Como estava começando na profissão, sabia que seria mais uma pessoa de recados dos três advogados e que não teria autonomia.

No entanto, ela não se importava. O que Milena queria mesmo era entrar nesse meio, aprender como lidar com as situações e continuar estudando para decidir o próprio futuro.

Quando disse aos pais que escolhera trabalhar com advogados criminalistas, eles não gostaram. Milena era doce, alegre, delicada, e seus pais temiam que a jovem se arrependesse da decisão. Durante anos, morando na comunidade, onde havia de tudo e os marginais misturavam-se às famílias pacatas, não aprovaram a escolha.

Gerson conversou com a filha, tentando demovê-la de seguir aquela carreira, mas, mesmo diante das ponderações do pai, Milena não cedeu. Como ele insistia, a jovem respondeu firme:

— Pai, eu quero trabalhar nessa área, entender como as pessoas pensam, como elas veem as coisas, e entender por que, podendo escolher uma vida boa, de trabalho e progresso, alguns indivíduos preferem ir pela maldade, apesar do sofrimento que terão de enfrentar. Que ilusões elas têm, a ponto de inverterem as coisas de tal forma e não enxergarem que o mal só conduz ao sofrimento?

Gerson ainda tentou demovê-la, porém Milena estava segura do que queria. Inconformado, ele foi queixar-se com Joana, que, mesmo não aprovando o que a filha queria, foi mais ponderada:

— Milena é ainda muito jovem. Está cheia de sonhos. Vamos ver o que ela vai pensar quando tiver de enfrentar a verdade e defrontar-se com a perversidade de algumas pessoas. Ela não vai se adaptar. Você vai ver. Logo, nossa filha mudará a forma de pensar.

— Você acha mesmo?

— Claro. Ela não vai se sentir bem nesse meio.

— Mesmo assim, estou preocupado. Vou ao centro falar com dona Áurea.

— É uma boa ideia. Milena tem ido ao centro com frequência. Na terça-feira, fui com ela. Dona Áurea pediu que nossa filha fizesse a palestra da noite, e você precisava ver o que ela fez. Falou um tempão, e as pessoas se comoveram e, no fim, foram abraçá-la. Eu me emocionei. Nossa filha tem o dom da palavra.

— Eu não entendo por que ela decidiu trabalhar com esses advogados.

— Eu confio nela. Milena só faz o que é bom.

Milena acabou de se arrumar e desceu para o café. Estava elegante, mas discreta.

Gerson preparava-se para falar com ela sobre o trabalho, mas Joana fez-lhe sinal para que se calasse.

Enquanto Milena se alimentava, Joana disse num tom alegre:

— Hoje, eu acordei e pedi a Deus que abençoasse seu primeiro dia de trabalho. Vai dar tudo certo. Você vai ver.

— Obrigada, mãe. Vou me esforçar para isso.

Depois que Milena terminou o café, os dois a acompanharam até a porta e se despediram.

Conforme Milena previra, aconteceu. A secretária indicou-lhe a mesa onde ela deveria trabalhar e explicou-lhe algumas coisas que seriam da responsabilidade da jovem. O mais importante era acompanhar os processos e fazer anotações de tudo.

Disposta a aprender o que pudesse, Milena dedicou-se inteiramente ao trabalho. Discreta, simples, mas observadora e atenta aos detalhes de cada caso, depois de uma semana a jovem já estava sendo disputada pelos três advogados.

É que ela fazia anotações muito claras e pertinentes sobre cada processo que acompanhava. Apesar de doutor Gilberto ser criminalista, o escritório também atuava em outras áreas.

Ao acompanhar cada processo, Milena lia as informações anteriores e também apresentava sua opinião sobre os casos. É que, ao mergulhar nos processos, ela sentia as emoções, via algumas cenas dos casos e percebia o nível de conhecimento de cada um.

Depois que começara a fazer esse trabalho, sua sensibilidade se abrira ainda mais. Milena continuava indo ao centro de dona Áurea assistir às aulas sobre espiritualidade, mas, muitas vezes, era ela quem se levantava e falava sobre o assunto, emocionando as pessoas, fazendo-as entender mais sobre a vida, ensinando-lhes o que fazer para manter a paz e construir uma vida melhor.

Áurea tinha um carinho especial por Milena e sentia que o espírito da jovem era esclarecido e estava sendo orientado por espíritos muito elevados e interessados pelo progresso de todos. Por esse motivo, quando Gerson se preocupava com a profissão da filha, Áurea o tranquilizava.

Doutor Gilberto logo notou que havia contratado uma pessoa sensível, dedicada e que, apesar de jovem, tinha clareza de ideias. Milena era uma funcionária na qual ele podia confiar.

Seis meses depois, notando que os outros dois advogados estavam disputando a ajuda da jovem, ele interveio. Ele sentia que Milena, conforme adquirisse mais experiência e prática, se tornaria uma grande advogada.

Sendo assim, uma tarde, quando a jovem chegou ao escritório, doutor Gilberto chamou-a para conversar em sua sala. O advogado pediu que ela se sentasse diante de sua mesa, acomodou-se, fixou-a e disse:

— Faz seis meses que eu a contratei, Milena. Durante esse tempo, pude avaliar seu trabalho e penso que chegou o momento de dar um passo à frente.

Milena fixou-o séria:

— O que o senhor tem para me dizer?

— Antes, preciso saber: o que você espera do seu futuro?

— Estudei Direito para entender um pouco mais sobre como as coisas funcionam, mas, para ser sincera, não encontrei nas leis da justiça humana o que eu esperava. O que me move são as leis divinas, que regem a vida. Elas, sim, mantêm a ordem no universo e as coisas funcionando. Sinto que há um poder maior gerindo tudo, colocando cada pessoa e cada coisa em seu lugar.

— Você acha que isso é possível?

— Tenho certeza disso.

— A maldade anda solta e olhando em volta. Dá para perceber que, a cada dia, o mundo está ficando pior.

— Por enquanto, a ignorância da maioria das pessoas as impede de perceber a perfeição da natureza. Mas, já existem neste mundo pessoas que valorizam a vida, percebem a grandeza do universo e se comovem com a beleza e a luz que há neste planeta cheio de sol, de estrelas, de pássaros e de flores. E o que dizer da inteligência do corpo humano? Instrumento perfeito para que nosso espírito possa transitar neste mundo. Tão perfeito que, mesmo quando alguém o agride, o machuca, ele se recompõe e nos mostra sua perfeição. Enquanto o doutor olha as mazelas da ignorância do ser imaturo, eu prefiro olhar a beleza e agradecer a chance de poder estagiar neste mundo, para aprender a lidar com as coisas, melhorar meu senso de realidade e poder me guiar pela inteligência.

Doutor Gilberto fixou-a pensativo e não respondeu de imediato. Havia um brilho diferente nos olhos de Milena, que o impressionou.

— Eu quero enxergar mais essa força, essa luz. Sinto que há outras possibilidades de criar uma sociedade melhor, mais produtiva e feliz. Quero descobrir o caminho.

O advogado meneou a cabeça negativamente:

— Olhando em volta, não consigo ver essa possibilidade.

A voz de Milena estava um tanto modificada quando respondeu:

— Pois eu vim de um lugar onde a vida é organizada, as pessoas são otimistas e o amor é a força que as move, aconteça o que lhes acontecer.

— Você ainda é muito jovem, está se deixando levar por suas ilusões. Na juventude, eu também estava cheio de ilusões e tive a pretensão de salvar o mundo. Mas, a verdade é que, no correr do tempo, todas elas foram desaparecendo. Você está começando na profissão e não terá sucesso com essas ideias, Milena. Talvez até acabe desistindo.

— Sei que as pessoas demoram para aceitar as mudanças que a vida lhes pede. Temem as novidades, conformam-se com o pouco e resistem ao novo. Mas, apesar disso, a evolução da sociedade vem se processando através dos anos. Para perceber isso, basta olhar para trás.

— Não vejo assim. A maldade continua agindo. A violência e a desonestidade fazem novas vítimas todos os dias.

— Ninguém é vítima a não ser de si mesmo. Cada um escolhe livremente como quer viver, mas colhe o resultado de suas escolhas. É simples entender isso: todo bem faz bem e todo mal faz mal. A pessoa escolhe onde quer ficar.

— Essa é uma forma simplista de ver as coisas. O bem e o mal são conceitos que cada um entende como lhe convém. As pessoas só olham o que lhes favorece.

— Concordo. Elas são limitadas, e o conceito só é bom quando a pessoa já conquistou a sabedoria. Mas as leis divinas, que regem o universo, não falham. Elas trabalham pela evolução do Ser.

— Você é idealista. Vamos ver com o tempo, como vai reagir. Chamei-a para esta conversa porque notei seu empenho, sua boa vontade. Sinto que, se for bem orientada, poderá se tornar uma excelente profissional. Em nosso escritório, sinto falta de ter uma mulher para atender determinados casos. Mas é um pouco cedo para pensar nisso, pois você é ainda muito jovem.

— A idade não reflete o amadurecimento. São as atitudes que mostram a capacidade de cada um.

Doutor Gilberto sorriu e comentou:

— Não nego que você tem sagacidade. Pensamento ágil, opinião própria. A partir de hoje, você vai ficar sob minha supervisão. Quero orientar seu trabalho.

Milena ficou em silêncio durante alguns segundos, depois sorriu levemente e considerou:

— Doutor Gilberto, é uma honra saber que o senhor quer me ensinar, mas devo esclarecer-lhe que funciono melhor quando entendo bem a parte que me cabe. Se tiver alguma dúvida, vou questioná-lo.

— Eu já havia notado esse seu lado. Eu também gosto de ser claro. Em pouco tempo, você vai me entender até pelo pensamento. Não consigo trabalhar com gente lenta. Amanhã, às nove, a espero em minha sala para lhe passar algumas providências. Seja pontual.

— Obrigada, doutor Gilberto. Serei pontual.

Quando Milena deixou a sala, os dois advogados tomavam café e conversavam animados. Vendo-a, doutor Mário aproximou-se com uma pasta e comunicou:

— Amanhã, logo cedo, você terá de levar estes contratos ao doutor Rodrigues. São muito importantes, e você terá de entregá-los pessoalmente.

— O doutor Gilberto quer que eu faça um serviço para ele às nove da manhã, doutor Mário. É melhor conversar com ele.

— Estes contratos são urgentes. Vou falar com ele agora mesmo.

O expediente estava encerrado, e, enquanto esperava um posicionamento, Milena aproveitou para ir ao toalete. Pouco depois, ao voltar para sua sala, viu que doutor Mário já estava em sua mesa. Ao fixá-lo, ela sentiu uma energia ruim e, tentando não absorvê-la, aproximou-se:

— O senhor conversou com o doutor Gilberto?

Doutor Mário respondeu irritado:

— Ele agora resolveu dificultar as coisas para nós. Quer que você só trabalhe para ele.

— Ele é o chefe, e eu estou aqui para trabalhar.

— Ele pensa que sabe mais do que todos nós! Tem o rei na barriga!

Milena apanhou a bolsa e disse calma:

— Boa noite, doutor.

Milena deu a volta e foi para casa. Durante o trajeto, sentiu que energias desagradáveis continuavam incomodando-a. Sentia arrepios, as pernas pesadas e o estômago enjoado. Respirou fundo e esforçou-se para mandá-las embora. Insistiu até que teve certo alívio e lembrou-se de que era noite de ir ao centro.

Ela e Renata estavam fazendo estudos sobre a abertura da sensibilidade, tendo aulas teóricas e práticas, ministradas por dona Áurea.

Renata chegou e Milena já estava pronta. Apesar de ter melhorado, ainda sentia certo enjoo e, por isso, não quis comer nada antes de sair.

Quando ela ia ao centro, Joana preparava-lhe uma comida mais leve. Nesse dia, ela insistiu para que a filha se alimentasse, mas Milena não quis.

As duas amigas chegaram ao centro meia hora antes do início da aula. Milena parou diante da porta da sala de dona Áurea e pediu a Renata:

— Pode ir para a sala de aula. Quero conversar um pouco com dona Áurea.

Milena bateu levemente na porta, e Áurea levantou-se para abraçá-la. Depois, ela indagou:

— O que aconteceu?

Em poucas palavras, Milena contou para Áurea o que havia acontecido no trabalho e finalizou:

— Ao conversar com o doutor Mário, fui envolvida por energias muito pesadas. Fiquei mal. Tentei mandá-las embora, aliviou um pouco, mas ainda sinto certo enjoo. Por que não consegui ficar bem?

— Você fez o que sabia, mas estava diante de alguém que não tem pensamentos elevados e que está rodeado de espíritos que lhe são afins. As energias desse senhor são pesadas e atraem os que pensam como ele.

— Como lidar com isso?

— Você precisa aprender a gerenciar seus pensamentos, Milena. Ao abraçar uma pessoa, ou até conversar com ela, saiba que há uma troca de energias, cujo teor reflete os pensamentos que ela tem. Isso pode ocorrer até a distância. Ao pensar em alguém, você está ligando-se a essa pessoa e trocando energias com ela. Às vezes, quando você se lembra de alguém que não vê há certo tempo, em seguida ela aparece, ou lhe telefona. Essa pessoa pensou em falar com você e se conectou. É muito comum. As pessoas se ligam por meio do pensamento.

— Eu quero ficar bem e não me ligar com pessoas maldosas.

— Para isso, você precisa aprender a tomar conta dos seus pensamentos. O verdadeiro bem deixa bem. Mas o mal tem muitas caras, e as pessoas iludem-se ao tratar com as energias do dia a dia.

— Para mim, o mal é o mal.

— Como é que você reconhece a diferença?

— Pelo teor das energias. O bem nos deixa bem. Já o mal pesa e nos deixa mal.

— Isso mesmo. Você já tem sensibilidade para entender essa diferença, mas muitos ainda se iludem com as aparências. Olham através das conveniências, se esforçam para parecer melhores do que são, sem se importarem com a qualidade do seu mundo íntimo. Só veem o mundo físico, não acreditam na eternidade do espírito, fazem tudo para impressionar, ter fama, conquistar a glória e vencer, seja a que preço for. A hipnose do mundo é uma força a que todos nós nos submetemos ao reencarnar na Terra. É preciso fortalecer o espírito e ser verdadeiro em relação a seus sentimentos. Não aceitar o mal, manter pensamentos positivos, conquistar a paz, desenvolver nossos dons, que estão latentes, e alcançar a sabedoria. Essa é a nossa trajetória de evolução.

— Isso me parece muito difícil!

Áurea sorriu alegre e respondeu:

— Não se preocupe, minha querida! Ninguém nos está exigindo nada. Cada um pode ir no ritmo que quiser, escolher como quer viver, experimentar novos modelos, viver, aprender. Mas, leve o tempo que levar, é bom saber que temos toda a eternidade pela frente.

Milena ficou em silêncio durante alguns segundos e depois tornou séria:

— Pois vou fazer tudo para aproveitar essa chance. Adoro a natureza, gosto de viver aqui, tenho uma família que me ama e que eu adoro. Quero ficar aqui o mais que puder, sempre com alegria e muita paz. Obrigada por ter me ensinado tanto.

Milena levantou-se, e Áurea abraçou-a comovida, sentindo a beleza daquela alma, que espalhava luz por onde passava. Ela firmou intimamente o propósito de cuidar daquela jovem com muito carinho, ensinar-lhe tudo que sabia sobre a vida espiritual, a fim de que ela conseguisse progredir e realizar o que veio buscar nesta encarnação.

Sorrindo satisfeita, Áurea respondeu:

— Muitas coisas a esperam em sua caminhada, Milena. Você sabe o que quer. Estou certa de que vencerá todos os desafios do caminho. Não tenha medo de nada. Confie na vida e siga adiante.

— Obrigada pela ajuda, dona Áurea.

— Venha sempre que quiser.

Áurea abraçou novamente Milena com carinho. Ao sair, todo mal-estar que a jovem sentia havia desaparecido. Satisfeita, ela procurou a sala de reuniões. A luz estava apagando-se, e Milena apressou-se a tomar assento no lugar habitual.

Capítulo 7

Milena olhou o céu e apressou o passo. A chuva ia despencar, e ela procurou abrigar-se em uma loja de roupas, enquanto os pingos da chuva começavam a cair, lavando a poeira da rua.

Apesar da rapidez com que se abrigou na loja, Milena não conseguiu impedir que a chuva molhasse seus cabelos e a água escorresse por seu rosto.

Uma balconista correu para abaixar um pouco a porta, a fim de preservar os clientes que estavam ali. Era uma jovem alta, morena, de olhos negros, boca carnuda, sorriso fácil, que, vendo Milena passar a mão pelos cabelos molhados, se apressou a oferecer-lhe um lenço para que os enxugasse.

Milena aceitou a delicadeza, sorriu e agradeceu. A chuva continuava forte, e ela aproximou-se de um balcão de vidro e encantou-se com algumas bijuterias. Um brinco em pingente, com pequenas rosas vermelhas na ponta, interessou-a.

A balconista aproximou-se, dizendo:

— Esses brincos são lindos mesmo — tirou--os da vitrine, aproximou um deles da orelha de Milena e continuou: — Experimente. Foram feitos para você!

Milena segurou os brincos, e a vendedora aproximou o espelho enquanto ela os colocava, exclamando alegre em seguida:

— Ficou lindo em você! Veja!

Olhando para o brinco na orelha, Milena gostou do que viu, mas o preço pareceu-lhe muito alto. Depois de olhar mais alguns instantes, devolveu--os dizendo:

— Gostei muito, mas não vou levar. Está acima de minhas posses.

— Essa peça é muito fina, é uma joia! Meu nome é Flávia. Vou conversar com a gerente e ver se consigo um abatimento no preço.

Milena olhou-se mais um pouco no espelho, pensou um pouco e decidiu:

— Mesmo assim. Penso que está acima do que posso pagar.

A jovem devolveu os brincos à vendedora e voltou-se à porta com a intenção de ver se a chuva havia parado. O chão da loja estava molhado, e Milena perdeu o equilíbrio e teria caído se um braço forte não a tivesse segurado pela cintura. Ela não conseguiu evitar uma exclamação de susto.

Diante dela, estava um rapaz alto, de rosto claro, cabelos cor de mel, que a olhava sério, enquanto ela, acanhada, tentava acalmar-se. Ele fixou os olhos nela e perguntou:

— Está tudo bem?

— Está. Obrigada pela ajuda.

Milena recobrou a postura, ajeitou a roupa e fixou-o. Ele, por sua vez, considerou:

— Tem certeza de que não se machucou?

— Tenho. Não foi nada. Está tudo bem.

— Está sentindo alguma dor?

— Um pouco no tornozelo.

— É melhor examiná-lo para ter certeza de que não se machucou.

Vendo o olhar desconfiado de Milena, o rapaz tirou um cartão do bolso e deu-o a ela dizendo:

— Meu nome é Reinaldo Lopes. Sou médico.

Flávia, a vendedora, que os observava, interveio:

— Se precisar examiná-la, posso levá-los ao provador.

Acanhada, Milena tornou:

— Não é preciso. Não foi nada. Vou ver se a chuva parou. Preciso ir embora.

Mas, ao dar um passo, Milena sentiu uma dor no tornozelo. Reinaldo meneou a cabeça dizendo:

— Acho melhor cuidar disso antes que o quadro se complique.

— Venha, vou levá-los ao provador.

— Apoie-se e vamos ver isso.

Milena segurou o braço de Reinaldo, acomodou-se na cadeira do provador, enquanto a balconista trazia uma banqueta para que ela esticasse a perna.

Depois do exame, o médico considerou:

— Não é nada grave. Vou receitar uma pomada para passar no local, e você terá de descansar a perna, pelo menos por vinte e quatro horas.

— Eu não posso. Preciso trabalhar!

— Se não fizer isso, pode complicar a situação e terá de ficar muito mais tempo em casa. Você trabalha com o quê?

— Em um escritório de advocacia.

— Vou dar-lhe um atestado para que repouse por pelo menos dois dias e posso levá-la até sua casa também.

Milena fixou-o pensativa e depois considerou:

— Obrigada, doutor, por seu interesse, mas Flávia pode chamar um táxi para que eu possa ir para casa. Já lhe dei muito trabalho.

— Nada disso. Meu carro está em um estacionamento perto daqui. A chuva já deve ter passado. Não gosto de deixar as coisas pela metade. Vou buscar o carro, passaremos na farmácia para comprar a pomada, e a deixarei em casa em seguida.

Milena ia retrucar, mas ele não lhe deu tempo e decidiu:

— O médico tem sempre razão! Eu mando e você obedece. Vou buscar o carro, e você, Flávia, não a deixe levantar-se.

Reinaldo saiu, e a balconista sorriu, comentando maliciosa:

— Você é uma moça de sorte! Cair logo nos braços de um médico bonito como esse e interessado como ficou em você... Isso ainda pode dar namoro!

— Você está fantasiando. Estou mais preocupada com meu chefe, que vai ficar aflito por eu não poder trabalhar por dois dias. Hoje, eu ainda tinha muitas coisas para fazer. Ele não vai gostar de saber o que aconteceu.

Pouco depois, Reinaldo parou o carro diante da loja e entrou para buscá-la. No tornozelo de Milena aparecera uma pequena mancha roxa, e o médico massageou o local e enfaixou-o com cuidado. A jovem apoiou-se nos braços de Reinaldo e Flávia, e o médico pedia a ela que mantivesse o pé machucado erguido.

Na loja, as pessoas olhavam a cena curiosas, enquanto Milena desejava ir embora o quanto antes dali.

Vendo-a chegar em casa de carro, com um estranho e de tornozelo enfaixado, Joana correu assustada:

— Milena! O que aconteceu?

Reinaldo apressou-se em responder:

— Nada de mais. Ela torceu o tornozelo, mas já foi medicada. Está tudo bem. Acho melhor ela não pôr o pé no chão. Vou carregá-la para dentro.

Sem cerimônia, Reinaldo pegou Milena no colo e levou-a para dentro da casa, ajeitando-a delicadamente no sofá. Notando a preocupação de Joana, o médico tirou um cartão do bolso e entregou-o a ela dizendo:

— Meu nome é Reinaldo Lopes, sou médico. Veio uma pancada de chuva forte, eu entrei numa loja para esperar passar o temporal e ir buscar o carro no estacionamento. Sua filha fez o mesmo. O chão estava molhado, ela escorregou e torceu o tornozelo. Eu prestei socorro para que isso não ficasse pior. Ela vai descansar uns dois dias e tudo ficará bem.

— Ela vai ficar bem mesmo? — quis saber Joana, receosa.

— Se fizer o que eu disse, ficará bem.

— Obrigada, doutor! Ela precisa de mais alguma coisa?

— Sim. Ficar com a perna esticada e não colocar o pé no chão nesses dois dias.

— Está bem. Cuidarei dela.

— Agora preciso ir, mas quero acompanhar o caso. Vou dar um atestado à sua filha e anotar o número do seu telefone.

Joana apressou-se a anotar o número para entregá-lo a Reinaldo, enquanto ele segurava a mão de Milena, recomendando:

— Não esqueça: faça o que recomendei.

Os olhos de Reinaldo fixavam-na e havia neles certa emoção, que fora sentida por Milena. Os olhos do médico brilhavam, quando ela apertou a mão que ele lhe estendia:

— Obrigada, doutor, por tudo que fez por mim.

Ele sorriu e, sem desviar os olhos da moça, comentou:

— Eu ainda penso que você deveria ficar com aqueles brincos. Ficaram muito bem em você!

Reinaldo afastou-se, e Joana acompanhou--o até a porta:

— Obrigada mais uma vez.

— Ela vai ficar bem.

O médico se foi, e Joana aproximou-se de Milena sem conter a curiosidade:

— Que brincos são esses de que o doutor falou há pouco?

— A loja era muito fina e havia bijuterias que pareciam joias. A balconista, vendo meu interesse, mostrou-me algumas peças. Havia um par de brincos lindíssimo e eu os experimentei, mas não quis comprá-los. Eram muito caros para mim.

— Se gostou deles, deveria tê-los comprado.

— É que no momento eu tenho outras prioridades, mãe. Estou juntando dinheiro para comprar um carro.

Joana fixou-a assustada:

— Por que isso agora? Dirigir nesta cidade é muito perigoso. Não quero ver você dirigindo um carro por aí, no meio desse trânsito.

— Eu preciso. Vou conseguir trabalhar com mais facilidade e me cansar menos.

— Seu pai não vai gostar disso. Ele sempre reclama das coisas erradas que vê quando está dirigindo.

— Vou me matricular na autoescola e só vou dirigir quando estiver bem preparada.

— Continuo achando perigoso.

Milena pegou o telefone na mesinha do lado e ligou para doutor Gilberto, para contar-lhe o que acontecera a ela. Ele ouviu tudo e perguntou ansioso:

— Será que vai precisar de dois dias para melhorar? Tem certeza?

— Foi o médico quem determinou, doutor.

— Um médico que você encontrou por acaso. Estou pensando em mandar meu médico para examiná-la e ver se é isso mesmo.

— O senhor pensa que estou exagerando?

— Não, Milena. Sei que você não faria isso, mas ele pode ter se enganado. Está doendo muito?

— Quando mantenho a perna esticada, sinto que o local machucado fica só dolorido, mas experimentei pôr o pé no chão e dói mesmo.

Doutor Gilberto ficou em silêncio durante alguns segundos e depois decidiu:

— Está bem. Vou mandar o Gino buscar os documentos. Você faz muita falta. Veja se melhora logo!

— O médico disse que em dois dias ficarei boa para trabalhar.

— Está certo. Cuide-se.

Pouco depois, Nena aproximou-se trazendo uma bandeja com lanche, que ela colocou sobre a mesinha. Depois, sentou-se na poltrona ao lado de Milena e disse sorrindo:

— De onde apareceu aquele homem lindo, que a trouxe no colo até o sofá? Como o conheceu?

— Não fique fantasiando coisas, Nena. Ele, como eu, se abrigou da chuva e, quando escorreguei, ele me ajudou. Foi só isso!

— Sei... E você se machucou mesmo ou esse tombo foi de caso pensado? Mesmo de longe, eu vi como os olhos dele brilhavam quando se fixavam em você.

— Você anda vendo muitas novelas. Nosso contato acabou aí.

— Será? Não creio.

Joana aproximou-se, e Nena disse séria:

— Vou segurar a bandeja para você.

— Só vou tomar o suco. Não estou com fome.

— Coma o lanche também. Eu fiz com muito carinho.

Milena experimentou o lanche que Nena preparara e acabou comendo tudo. Estava mesmo muito bom.

Joana ligou para Gerson para contar-lhe o que acontecera com Milena, e ele chegou pouco depois. Foi ter com a filha e fê-la contar tudo de novo, só ficando sossegado quando ela garantiu que a dor havia passado.

— Você precisa relaxar, trocar de roupa e se deitar. Vou levá-la para o quarto.

Gerson pegou Milena no colo e subiu as escadas, enquanto Joana os acompanhava. Depois de deitá-la na cama, ele saiu, deixando a esposa ajudar a filha a mudar de roupa. Joana ainda colocou dois travesseiros para apoiá-la na cama, para que a jovem ficasse melhor acomodada.

Como Milena sempre foi uma pessoa muito ativa, a ideia de ficar dois dias parada, sem fazer nada, não era muito fácil para ela. A jovem, então, pediu para a mãe entregar-lhe um romance policial que estava na estante, para ver se conseguia passar melhor o tempo.

Milena havia ganhado o livro de uma professora na época da faculdade, mas, envolvida pelo trabalho, ainda não o lera. Depois que Joana lhe entregou o livro, a jovem acomodou-se o melhor que pôde e iniciou a leitura.

Tratava-se de um crime misterioso, bem engendrado, que a interessou desde o início. Ela gostava de estudar os casos e descobrir o que levava as pessoas ao desequilíbrio emocional, a ponto de agredir e matar uma pessoa.

Estudando as circunstâncias de cada caso, Milena acreditava que fosse possível fazer a pessoa entender melhor o momento que estava passando e mudar o ponto de vista.

O emocional age sempre conforme as crenças que a pessoa tem. A forma como ela vê as coisas é o que provoca a reação. Se ela for calma e preferir resolver dentro do possível, tudo se resolverá melhor.

Porém, nesse processo, quando há o exagero das razões, muitas pessoas podem chegar aos extremos e provocar uma tragédia. A verdade é sempre mais simples e o melhor sempre será o entendimento.

Milena sentia que o diálogo, o esclarecimento, a verdade, mesmo nos momentos mais difíceis e dolorosos, quando bem direcionados, podem evitar a violência e resolver as questões com mais discernimento e justiça. A jovem não acreditava na justiça que era praticada nos tribunais, onde o dinheiro dava o tom e a verdade ficava de lado.

Doutor Gilberto gostava de conversar com Milena sobre esse assunto. Ele reconhecia que, no mundo, era muito difícil fazer justiça social, porquanto, apesar das leis terem sido elaboradas para isso, havia uma série de interesses envolvidos da própria sociedade, na qual cada um se defende como pode, ou como dá. As diferenças sociais, os graus de evolução de cada um, dificultam o entendimento.

Às vezes, para Milena, doutor Gilberto assumia o papel de advogado do diabo, complicando as soluções dos casos que ela arquitetava, só para perceber até onde ela chegaria em seus conceitos.

Depois de anos exercendo essa profissão, ele perdera o encantamento dos primeiros tempos.

Era honesto e criterioso em seus princípios, mas há muito deixara de acreditar no ser humano.

Em muitos momentos, depois das conversas que mantinha com Milena, sentia certa tristeza ao pensar que o sonho dela, muito bonito, nunca seria realizado. Mas, apesar disso, trocar ideias com a jovem sempre o deixava bem.

Nena aproximou-se trazendo uma bandeja, que fora colocada sobre a mesinha, e exclamou:

— Hora do jantar! Sua mãe fez uma comidinha especial! Você deve estar com fome!

Milena fixou-a:

— Nossa, já? O livro está muito bom e nem vi o tempo passar.

— Não baixe sua perna. Fique com ela estendida. Deixe que eu ajeito tudo. Está doendo?

— Está só dolorida.

Nena colocou uma banqueta da altura da cama para Milena se sentar e estender a perna:

— Vou segurar a bandeja.

— Não precisa. Coloque aqui, está ótimo.

Nena sentou-se do lado de Milena, enquanto a jovem comia.

— Você está com fome! Está comendo tudo.

— Está uma delícia.

Joana aproximou-se sorrindo:

— Gostou das panquecas?

— Adorei.

Pouco depois, Nena levou a bandeja, e Joana sentou-se ao lado da filha, querendo saber como ela se sentia.

— Estou bem, mãe. O problema é que terei de ficar dois dias aqui.

— Dois dias passam depressa. Você vai fazer tudo que o médico mandou.

Gerson aproximou-se, querendo saber como a filha se sentia. Depois de conversarem um pouco, ele e a esposa desceram, percebendo que a filha precisava descansar.

Milena levantou os travesseiros, sentou-se com as pernas estendidas na cama e continuou a leitura.

Uma hora depois, Nena entregou-lhe o telefone:

— É o doutor ao telefone. Está querendo falar com você.

Milena apressou-se a atendê-lo.

— Aqui é o Reinaldo. Quero saber como você está.

— Estou bem, doutor. Obrigada por ter ligado. Será que amanhã cedo eu já poderei levantar?

— Não. Eu disse dois dias, não foi?

— Foi. Mas estou tão bem! Pensei que amanhã eu poderia...

Reinaldo ficou em silêncio durante alguns segundos e depois disse:

— Amanhã cedo, darei uma passada aí para examiná-la. Vamos ver como reagiu.

— É uma coisa tão simples, já está melhor...

— Amanhã, veremos. Não saia da cama. Lá pelas nove da manhã, chegarei aí.

— Obrigada, doutor. Estarei esperando-o.

Depois de um boa-noite, Reinaldo desligou, e Milena ficou pensativa. Notara uma nuance de emoção na voz do médico. Estaria imaginando demais?

Ao lembrar-se do olhar de Reinaldo quando a segurou na loja, Milena sorriu alegre. Havia admiração em seus olhos. Ao pensar que ele iria visitá-la no outro dia, sentiu um enorme prazer.

Na manhã seguinte, ao acordar, Milena olhou o relógio, que marcava ainda seis horas. A jovem suspirou, pensando que o tempo ia demorar a passar.

Tentando relaxar, pensou: "Não tenho motivo para criar expectativas. Ele vai vir aqui como médico. Só isso. Não quero me frustrar".

A partir daí, Milena procurou encarar aquela visita com naturalidade. Ela sentia que estava melhor e era muito provável que Reinaldo desse o caso como encerrado, se despedisse e tudo acabasse assim.

Mas, apesar disso, Milena levantou-se apoiando o corpo na bengala que o pai lhe trouxera e foi ao banheiro, para lavar o rosto e arrumar-se o melhor que podia. Depois, deitou novamente e ficou de olho no relógio.

Às oito horas, Joana foi vê-la:

— Como você está? A dor já passou?

— Estou melhor. Só quando levantei para ir ao banheiro doeu um pouco. Mas doeu menos do que ontem.

— Você parece bem. Vou mandar trazer seu café da manhã.

Nena trouxe a bandeja com tudo de que ela gostava e comentou:

— Está quase na hora do doutor chegar. Quer que eu a ajude a se arrumar?

— Não. Eu mesma já dei um jeito. Estou cansada de ficar aqui, sem poder me levantar.

— Perguntei por perguntar, pois já havia notado que você caprichou na arrumação.

— De onde tirou essa ideia, Nena? Só quero poder me levantar e voltar ao trabalho.

Nena fixou-a apertando os olhos, que brilhavam com certa malícia:

— Sei...

Milena não respondeu. Tratou logo de tomar o café com leite e comer o pão com manteiga.

— Pode levar a bandeja.

— Você não quer que eu dê um jeito nos seus cabelos?

— Não. Estou bem.

Nena se foi, e Milena pegou o livro na mesa de cabeceira, tirou o marcador e procurou ler, mas seu pensamento estava mais concentrado no relógio do que no livro.

Às nove horas, Reinaldo ainda não havia chegado, e Milena, decepcionada, pensou que ele não viria. Irritada, a moça queria levantar de uma vez, mas não o fez.

Eram nove e meia da manhã, quando Joana acompanhou o médico até o quarto.

Reinaldo aproximou-se de Milena e segurou a mão dela:

— Bom dia!

— Bom dia — respondeu ela, de maneira a ocultar a ansiedade. — Cheguei a pensar que o doutor não viesse mais!

— Gosto de ser pontual, mas não foi possível chegar antes. Vamos ver como está o machucado.

Reinaldo levantou a coberta e tirou a faixa do tornozelo de Milena. A mancha roxa havia aumentado, e ela exclamou assustada:

— Será que piorou?

— Não. É natural a lesão ficar mais evidente algumas horas depois.

O médico a examinou com cuidado e depois concluiu sorridente:

— Já está bem melhor.

— Nesse caso, eu já posso me levantar?

— Eu disse que ia precisar de dois dias. Hoje, você ainda terá de ficar em repouso. Amanhã cedo, poderá se levantar e voltar à vida normal.

Joana, que observava a conversa, aproveitou para perguntar:

— Ela é muito ativa, anda muito no trabalho. Ela poderá trabalhar normalmente?

— Sim. Apenas deve tomar certo cuidado para não forçar a perna nem carregar peso.

— Sou muito grata ao senhor pelo cuidado que teve com Milena. Aceitaria um café e um pedaço de bolo que é minha especialidade? Eu ficaria muito honrada.

— Com prazer.

Joana desceu, e Reinaldo fixou Milena dizendo:

— Tenho a sensação de ter estado aqui outras vezes. Parece que estou retomando alguma coisa que havia perdido. Não dá para explicar.

— Não precisa. Eu também estou sentindo a mesma coisa.

Nena subiu com a bandeja, e Joana fez questão de servir o café e o bolo ao médico, enquanto Nena servia o lanche para Milena.

O ambiente estava leve e Milena sentiu que alguma coisa estava indo para o lugar em que deveria estar.

Capítulo 8

A tarde estava morrendo, quando Milena chegou ao escritório depois de um dia de trabalho. A moça foi direto à sala do doutor Gilberto, que a esperava ansioso. Assim que ela entrou, ele perguntou:

— E então, o juiz deu a sentença?

— Sim. Consegui uma cópia. A resolução entrará em vigor amanhã.

Doutor Gilberto pegou a pasta, abriu, leu, sorriu satisfeito e comentou:

— Finalmente! O juiz não deu a pena máxima e ele pegou só dez anos, mas espero que cumpra pelo menos uns sete ou oito anos.

O advogado ficou em silêncio durante alguns segundos, depois continuou:

— Depois do trabalho que esse caso nos deu, precisamos comemorar. Chame o Mário e o Carlos. Vou abrir um vinho.

Os dois entraram, e a copeira trouxe as taças. Enquanto abria a garrafa, doutor Gilberto comentou satisfeito:

— Arnaldo Mendonça pegou dez anos.

— Foi pouco por ter tirado uma vida — tornou Mário.

— Eu até esperava mais, depois que li sua peça de acusação, disse Carlos.

Os olhos de doutor Gilberto brilharam. Ele serviu o vinho, depois entregou uma das taças para Milena, dizendo alegre:

— As damas em primeiro lugar.

Milena segurou a taça, enquanto os três, rindo e comentando certos detalhes do caso, tomavam o vinho.

Segurando a taça, Milena fingia beber. Assim que notou que os advogados estavam distraídos comentando os detalhes do caso, ela foi ao toalete e derramou a bebida na pia.

Para ela, a prisão de Arnaldo não era motivo de comemoração. Uma mulher leviana, um marido traído — e agora preso —, um casal de filhos sofrendo com a situação. Como se tratava de uma família tradicional, o caso teve muita repercussão.

Doutor Augusto Borges, muito rico, orgulhoso, fez tudo para encobrir o deslize da filha. Contratou o doutor Gilberto, pagou-o regiamente para que ele transformasse Estela em uma vítima do marido e jogasse sobre Arnaldo Mendonça toda a culpa dessa tragédia.

Em particular, Augusto Borges repreendeu Estela, ameaçou e internou seus dois netos e exigiu-lhe que, depois do que ela fizera, mantivesse um comportamento exemplar, pois, caso contrário, a internaria em um sanatório, a deserdaria e lutaria pela guarda definitiva das crianças.

Observando os três advogados comemorando e comentando detalhes picantes do caso, Milena sentiu o estômago enjoado. A moça não via a hora de ir para casa.

Aproveitando uma pausa dos três advogados, aproximou-se de doutor Gilberto:

— Doutor, amanhã, vou pôr tudo em ordem. Posso ir embora agora?

— Pode. Mas chegue cedo.

Milena concordou e saiu apressada. Não estava se sentindo bem. Queria sair dali e esquecer tudo.

Quando o elevador a deixou no térreo, Milena respirou fundo, disposta a se afastar o quanto antes dali. Mas, ao pisar na calçada, encontrou o doutor Reinaldo:

— O senhor aqui?

O médico fixou-a sério:

— Senti vontade de vê-la. Fiz mal?

— É um prazer encontrá-lo. Estou precisando sair da faixa vibratória do escritório. O dia não foi fácil.

— Conheço um lugar muito agradável, com comida e música boas. Quer jantar comigo?

Milena passou a mão nos cabelos, num gesto muito seu, pensou um pouco e disse:

— Só preciso avisar minha mãe.

Os olhos de Reinaldo brilharam quando disse:

— É fácil. Ligaremos do restaurante. Meu carro está no estacionamento. Vamos.

Reinaldo segurou delicadamente o braço de Milena e caminharam juntos. Uma vez no carro, sentados lado a lado, ele comentou:

— Bom você ter vindo. Temos muito o que conversar.

O restaurante, situado no Leblon, era acolhedor e lá havia uma música suave no ar. Após Milena ligar para sua casa, acomodaram-se. Um rapaz aproximou-se trazendo o cardápio.

Milena estava emocionada por estar ali com Reinaldo. O mal-estar passara, mas ela estava sem fome. A moça escolheu um prato leve.

Enquanto esperavam, Reinaldo segurou a mão de Milena, tirou do bolso um pequeno pacote caprichado e entregou-o a ela:

— É para você.

— O que é?

— Abra.

As mãos de Milena tremiam enquanto ela abria o pacote. Quando se deparou com os brincos de que tanto gostara, a moça não conteve uma exclamação:

— Você comprou esses brincos!

— Não resisti. Ficaram lindos em você!

— Não sei o que dizer...

— Experimente-os.

Milena pediu licença e foi ao toalete. Sentia-se emocionada e suas mãos tremiam. O coração da jovem batia mais forte e ela respirou fundo, buscando acalmar-se. Milena colocou os brincos e seus olhos brilharam de prazer. Ela adorou o que viu. Seu rosto estava corado, quando ela voltou à mesa.

Fixando-a, Reinaldo não se conteve:

— Eles foram feitos para você.

Os olhos de Milena brilharam e seus lábios abriram-se em um doce sorriso.

— São lindos!

Reinaldo colocou a mão sobre a da moça e, olhos nos olhos, disse:

— A alegria que senti ao conhecê-la precisava ser comemorada. Eu não poderia deixar passar. Quando a vi naquela loja, experimentando esses brincos, pareceu-me que eu estava revendo uma cena conhecida, uma cena que eu já vivera anteriormente.

Milena fixou-o séria e comentou:

— Eu também senti isso.

— Parece loucura, mas, desde que nos encontramos, não consigo parar de pensar em você. Estou sendo sincero. Isso nunca me aconteceu antes.

Milena respondeu com voz suave:

— Nós nos conhecemos de outras vidas.

— Como pode ser isso?

— Estou falando de reencarnação.

— Você acredita que isso seja possível?

— Tenho certeza disso. Desde pequena, converso com alguns amigos que vivem em outras dimensões do universo. Você é um médico e nunca percebeu essa realidade?

— No hospital, já ouvi alguns comentários de pessoas que se referiam a casos de quase morte. Algumas pessoas, quando saem do coma, contam terem ido para outro lugar fora da Terra, onde receberam conselhos, ou ajuda das pessoas. Mas isso pode ter sido apenas um sonho, uma alucinação, ou mesmo a vontade de que isso acontecesse de fato.

— Essa experiência é verdadeira. Quem passou por isso nunca mais esquece. A pessoa muda, passa a valorizar mais as coisas, sente-se protegida e se esforça para ser uma pessoa melhor. A morte é apenas uma viagem para outra dimensão do universo. Observe os resultados e perceberá a verdade.

Reinaldo não respondeu logo. Ficou pensativo, com os olhos perdidos em algo indefinido. Depois, considerou:

— Se isso fosse verdade, seria maravilhoso!

— A vida é muito mais do que parece, mas só revela seus segredos a quem tem interesse em aprender. Neste momento, sua alma está sentindo que nós nos conhecemos antes desta vida. Você, tendo reencarnado, esqueceu o passado, mas sua alma sabe e está mostrando-lhe a verdade. Não dá para duvidar.

— Tem razão. Tenho alguns amigos espiritualistas, que sempre procuram me introduzir em seus estudos, mas eu sempre fugi do assunto. Fico inseguro quando alguém me fala sobre certos fenômenos.

— Nesse caso, mudemos de assunto.

— Não. Desta vez foi diferente. Eu senti que já a conhecia. Foi uma sensação forte, uma emoção que não dá para ignorar. Nunca passei por isso antes. Agora, preciso saber mais, descobrir o que está por trás dessa sensação.

— Há bons livros sobre o assunto, vivências que lhe darão conhecimento de como as coisas são. Os fenômenos de mediunidade sempre aconteceram no mundo e continuam acontecendo nos nossos dias. A certeza da imortalidade, a grandeza da vida, a bênção que é reencarnar neste planeta, tudo isso nos dá muita alegria de viver e vontade de fazer coisas boas e melhorar a cada dia.

O garçom trouxe a comida, e Milena comentou alegre:

— Hoje é um dia feliz! Eu, você, juntos aqui, neste lugar lindo, acolhedor... E ainda ganhei o par de brincos mais lindo do mundo! Não é para comemorar?

— É! Vou pedir um vinho para comemorar este dia feliz.

Quando o vinho chegou à mesa, Reinaldo levantou a taça e, olhos nos olhos, ele disse com certa emoção:

— Esta é a primeira comemoração de muitas outras que faremos. Ao nosso encontro!

Tocaram as taças. Enquanto comiam, a conversa fluía agradável sobre assuntos leves. Cada um falava de suas preferências, seus sonhos, e do que faziam em seus momentos de lazer.

O tempo passou rápido. Milena olhou o relógio e exclamou assustada:

— É tarde, são quase onze horas! Não vi o tempo passar! É melhor irmos embora.

— Já? É cedo.

— Não costumo chegar em casa tão tarde. É melhor irmos.

— Está tão bom aqui... Por que não telefona para casa e diz que eu a levarei de volta? Eles ficarão tranquilos e poderemos ficar um pouco mais aqui.

— É melhor irmos. Não quero abusar.

— Está bem. Não quero que seus pais se aborreçam.

Pouco depois, dentro do carro, ele não se conteve e abraçou-a. Seus lábios se uniram diversas vezes e, esquecidos de tudo, Reinaldo e Milena perderam a noção do tempo. A certa altura, ela disse assustada:

— Passa da meia-noite! Precisamos ir.

— Por mim, eu passaria a noite inteira aqui com você. Esta noite é mágica. Não sente o mesmo que eu?

— É um momento especial. Eu gostaria que esta noite nunca acabasse.

— Vamos ficar um pouco mais...

— É tarde. É melhor irmos embora. Não quero aborrecer meus pais.

Reinaldo abraçou-a novamente, beijaram-se diversas vezes, até que ela pediu:

— É hora de ir. Vamos embora.

O tom firme de Milena fê-lo perceber que ela falava sério. Reinaldo ligou o carro e levou-a para casa. A luz da sala estava acesa e a jovem desceu logo. Reinaldo acompanhou-a até o portão. Milena estendeu-lhe a mão, beijaram-se levemente na face, e ela entrou.

Embora as luzes da sala estivessem acesas, não havia ninguém por perto. Milena foi para o quarto rapidamente. Seu rosto estava corado e seu coração batia forte. Emoções novas e inesperadas, um misto de alegria e de prazer, fizeram-na desejar ficar sozinha, para poder analisar melhor seus sentimentos.

A moça estendeu-se na cama pensando em tudo que acontecera. Tirou os brincos e sentiu novamente os momentos de emoção que vivera ao lado de Reinaldo.

Não tinha dúvida de que já tinham se conhecido antes e mantido um relacionamento forte, que, apesar do tempo decorrido e de não se recordarem dos detalhes, sobrevivera. O que lhes reservaria o futuro?

Ao lado de Reinaldo, ela sentira-se confiante e apoiada. Discreta por natureza, não tinha o hábito de fazer confidências e falar de seus sentimentos.

Mesmo com os pais, que a jovem amava e respeitava, Milena não o fazia por questão de princípios. Todavia, ela se posicionara de forma diversa com Reinaldo. Fora fácil discorrer sobre espiritualidade, apesar de ele parecer não estar muito informado sobre o assunto.

Milena abrira sua alma com alegria e falara de suas vivências com os espíritos, viajantes de outras dimensões do universo. Com naturalidade, dividira com ele sua certeza da eternidade. Sentia que, embora ele houvesse se esquecido do passado temporariamente, suas almas se reencontraram naquela noite e se reconheceram.

Milena sentiu uma onda de alegria e um sentimento profundo de prazer. Sorriu feliz, virou para o lado e logo adormeceu.

O dia seguinte amanheceu chuvoso. O relógio marcava seis horas, e Milena pulou da cama apressada. Doutor Gilberto pedira urgência, e ela precisaria estar no escritório antes das oito.

Na mesa do café, encontrou o pai, que, ao vê-la, a beijou delicadamente na face:

— Bom dia! Já se levantou?

— Preciso estar no escritório mais cedo.

— Tome seu café com calma. Doutor Gilberto está abusando. Você trabalha fora do horário.

— Não importa, pai. Preciso praticar muito e melhorar meus conhecimentos. Pretendo subir na minha profissão.

— Gostou de jantar com o médico?

— Foi uma noite muito agradável.

A expressão no rosto de Milena estava descontraída e havia um brilho alegre em seus olhos. Gerson observou-a pensativo, mas não comentou. Depois do café, Milena beijou-o na face, e ele recomendou:

— Tenha um bom-dia e bom trabalho.

— Obrigada.

Para chegar ao escritório, Milena levou mais tempo do que o usual. Assim que chegou ao trabalho, notou algo diferente. Os três advogados falavam baixo e, ao vê-la, doutor Gilberto recomendou:

— Feche a porta e sente-se.

— Não é melhor deixá-la fora disso? — indagou Mário.

— Não. Vamos precisar dela.

Fixando-a, doutor Gilberto continuou:

— O que vou contar-lhe deve morrer aqui, Milena. Não poderá contar a ninguém, nem para sua família. É segredo de justiça.

Doutor Carlos interveio:

— Se você abrir o bico, seja para quem for, estará correndo risco de morte.

— Nesse caso, eu vou embora. É melhor procurarem outra pessoa.

Doutor Gilberto olhou nos olhos da moça, quando disse:

— Ele está exagerando. É só não comentar o assunto fora daqui e tudo estará bem. Nós confiamos em você e precisamos de sua ajuda.

— Eu gosto de tudo às claras, doutor. Não quero fazer nada escondido.

— Não se trata de fazer nada errado. Ao contrário. Você vai auxiliar uma mãe desesperada a cuidar de seus filhos. Doutor Augusto Borges quer castigar a filha e privá-la da companhia de seus dois filhos. Em dois dias, ele irá interná-los em um colégio fora do país, para que a mãe não possa ter contato com eles. Dona Estela está desesperada e nos pediu ajuda. Mas, para isso, precisamos de alguém de confiança para acompanhar esses meninos e ficar com eles até que a mãe possa ir encontrá-los.

Milena pensou um pouco e respondeu:

— Eu gostaria muito de ajudar, mas meus pais não permitirão que eu viaje para longe. Nunca saí de casa.

— Será por pouco tempo. Até que dona Estela possa ir ter com eles. E você será muito bem recompensada por isso.

— Estou começando minha carreira. Tenho projetos para o futuro.

— Mais uma razão para aceitar nossa oferta. Você vai e fica com eles, só pelo tempo da mãe poder ir encontrá-los. Será como uma viagem de férias. Logo você estará de volta e com dinheiro suficiente para montar seu próprio escritório. Nós a ajudaremos até a fazer isso. Só não poderá contar a verdade à sua família.

— Eu nunca menti para minha família, doutor.

— Uma mentirinha inocente não vai prejudicá-la em nada. Você dirá a seus pais que ganhou uma bolsa de estudos em outro país e ficará fora por pouco tempo. Milena, você será muito bem recompensada. Além disso, estará auxiliando uma mãe desesperada.

— Ficarei fora por quanto tempo?

— Por um ou dois meses. O tempo para dona Estela conseguir ir buscá-los.

— Eu não tenho experiência para lidar com crianças. Ainda mais sozinha.

— Você terá ajuda de algumas pessoas no local. Estamos preparando tudo. Dona Estela sonha poder ficar livre das garras do pai e cuidar dos filhos. Ela lhe será eternamente grata.

— Posso pensar um pouco?

— Temos pressa. Precisamos de sua resposta já. Não dá para esperar. Dona Estela está desesperada. Ela sabe que, em dois dias, doutor Borges vai mandar os meninos para fora do país. Nós teremos de agir antes dele.

— Nunca saí de casa sozinha. Meus pais não vão concordar com essa viagem.

— Se for preciso, eu os convencerei. Eles querem o seu bem e vão gostar de saber que você vai fazer um curso fora do país, que irá ajudá-la a melhorar seu currículo. Será por pouco tempo. Logo, você estará de volta. É muito vantajoso para quem está começando na profissão. Não pode perder essa oportunidade, Milena.

Vendo que a moça continuava em dúvida, ele continuou:

— Dona Estela está tão desesperada que nós tememos que tudo isso acabe em tragédia. Só nós poderemos evitar que isso aconteça. Está em suas mãos.

Milena passou as mãos nos cabelos e não respondeu de imediato.

— Aceite — pediu o doutor Mário. É uma mãe desesperada.

— Ontem ela chorou muito por causa disso. Fiquei penalizado — tornou doutor Carlos.

Milena respirou fundo e decidiu:

— Está bem. Se for por pouco tempo, concordo.

— Vamos marcar um encontro com dona Estela, que já tomou algumas providências. Vocês deverão embarcar esta noite.

— Como assim? Nem falei nada em casa.

— Dona Estela já tem tudo preparado. Não se esqueça de que vocês vão fugir e por isso é preciso cuidado. Mantenha sigilo em relação a isso. Vamos até sua casa para dar a notícia a seus pais.

— O que vão dizer a eles?

— Que você ganhou uma bolsa para fazer um curso de especialização de algumas semanas em uma universidade americana. O inglês já é sua segunda língua e você não terá dificuldade para trazer um certificado que dará mais força à sua carreira.

— Vai dar tempo de fazer tudo isso em tão pouco tempo?

Doutor Gilberto sorriu alegre quando respondeu:

— Você vai gostar tanto de estar lá, que sentirá pena de voltar. Agora vamos nos encontrar com dona Estela para combinar tudo. Depois, falaremos com seus pais. Prepare-se, porque vocês viajarão esta noite. Não se esqueça de que ninguém pode saber a verdade, para que tudo saia conforme combinamos.

A partir daquele momento, tudo mudou para Milena. Doutor Gilberto a levou de volta para casa e convenceu Gerson de que era um privilégio para ela ter ganhado aquela bolsa para estudar nos Estados Unidos.

Milena viajaria e estudaria com todas as despesas pagas. Voltaria dentro de um ou dois meses, com o certificado do curso. Eles não precisavam se preocupar com nada. Ela precisava apressar-se, porque quem não chegasse na data combinada da primeira aula, perderia o curso.

Alegando que precisavam tratar dos documentos necessários, inclusive do passaporte e visto, que estava sendo providenciado pelo consulado, eles se despediram. Apenas avisaram que o embarque de Milena seria naquela mesma noite e que Gerson e Joana poderiam ir ao aeroporto para se despedirem da filha.

Depois que Gilberto se despediu dos pais dela, Milena indagou:

— E agora, para onde vamos?

— Falar com dona Estela. Ela quer conversar com você e já está nos esperando.

Doutor Gilberto havia dado folga ao motorista e estava dirigindo o próprio carro. De repente, ele parou diante de um restaurante e disse bem-disposto:

— Nosso encontro ficou marcado para as duas horas. Temos tempo para almoçar.

— Perdi a fome com a história dessa viagem inesperada.

— Você vai passar a noite viajando e, apesar do serviço de bordo, acredito que precisa se alimentar. A comida aqui é deliciosa. Você vai gostar.

O lugar era elegante e estava lotado.

— Sempre que posso, venho comer aqui.

Milena notou que, quando entraram no restaurante, o gerente se aproximou para recebê-los e apressou-se a acomodá-los em um local discreto e agradável.

Vendo que Milena não decidia o que iria comer, doutor Gilberto fez o pedido para ambos, e ela acabou almoçando muito bem.

Depois do almoço, foram ao encontro de dona Estela, em um local distante, localizado fora da cidade. Pararam diante de uma casa de campo, pequena, mas muito graciosa. O portão foi aberto. Doutor Gilberto entrou com o carro, deu a volta pela lateral e parou nos fundos.

Ao descerem do carro, doutor Gilberto tirou a chave do bolso e abriu a porta da cozinha. Quando entraram na casa, notaram que Estela estava na sala. Vendo-os, ela levantou-se imediatamente.

Depois dos cumprimentos, ele apresentou a jovem para Estela:

— Esta é Milena.

Estela fixou-a e seus olhos brilharam, como se quisessem penetrar fundo nas energias dela.

Doutor Gilberto disse sério:

— Nesta moça a senhora pode confiar.

Estela suspirou e abraçou-a dizendo:

— Não a conheço ainda, mas pretendo confiar-lhe todo o meu tesouro. Quero sentir sua alma.

Milena sentiu toda a angústia de Estela e respondeu emocionada:

— Conheço sua história e estou aqui para ajudá-la no que a senhora precisar.

— Entenda... Meus filhos não são culpados e não podem pagar pelos erros que cometi.

— Não estou aqui para julgá-la, mas só para auxiliá-la no que puder.

— Meu pai quer mandá-los para longe de mim, interná-los num colégio em um país distante. Eu errei, mas amo meus filhos e pretendo educá-los com amor. Quero ensinar-lhes tudo que puder, dedicar o resto de minha vida para que eles consigam realizar seus sonhos e se tornem pessoas de bem e sejam felizes.

— Pode contar comigo. O que deseja que eu faça?

— Esta noite, vou confiar-lhe tudo o que tenho de mais precioso. Você vai sair do país, levando meus filhos para a Filadélfia, nos Estados Unidos, onde temos tudo preparado para recebê-los.

— A senhora não irá conosco?

— Não posso. Estou sendo vigiada o tempo todo pelos homens de meu pai. Para poder estar aqui agora, precisei da ajuda de uma enfermeira, que está fingindo me vigiar enquanto outra pessoa está deitada em meu lugar.

— Irei sozinha com eles?

— Uma pessoa vai acompanhá-la durante a viagem, e sentará ao seu lado. Lá chegando, tenho outra pessoa de confiança que vai ajudá-la até eu poder chegar.

Os olhos de Estela brilhavam, quando ela abraçou Milena dizendo emocionada:

— Você não sabe todo o bem que está me fazendo. Terá em mim uma amiga pelo resto da vida.

— Vou cuidar deles com muito amor.

— Obrigada. Deus a abençoe.

Abraçaram-se em despedida. Doutor Gilberto esforçava-se para dominar a emoção que sentia naquele momento. Pouco depois, ele levou Milena para casa e combinou o horário que iriam se encontrar no aeroporto.

Capítulo 9

Quando Milena chegou ao aeroporto acompanhada pelos pais, doutor Gilberto já os esperava. O advogado entregou a ela o passaporte com uma pasta de couro, dizendo:

— Dentro deste envelope, estão todos os documentos e dinheiro suficiente para cobrir todas as suas despesas e tem o número do meu telefone. Se precisar de alguma coisa, ligue-me.

Reinaldo chegou, abraçou Milena, cumprimentou os pais dela e foi apresentado ao doutor Gilberto. Depois, o médico fixou os olhos de Milena:

— Ontem, você não comentou comigo que iria viajar.

— É... Nem eu sabia.

Doutor Gilberto interveio:

— Milena é muito esforçada e deseja fazer carreira. Nosso escritório fez de tudo para que ela pudesse aproveitar esse curso, que, embora seja de pouco tempo, lhe dará mais traquejo e será ótimo para seu currículo. É que a resposta só chegou ontem à noite e as aulas começam depois de amanhã.

Gerson quis saber do doutor Gilberto quais seriam as vantagens que Milena teria, por fazer esse curso. Enquanto eles conversavam, Reinaldo segurou a mão da moça e disse baixinho:

— Vou sentir saudades! Quanto tempo você vai ficar fora do país?

— Um ou dois meses, mais ou menos. Foi o que me disseram.

— Eu estava sonhando em repetir nosso passeio de ontem. Vou ficar contando os dias, sonhando com o momento em que estará de volta.

— Será por pouco tempo, logo estarei de volta.

O último sinal para embarque fez Milena se despedir de todos, e Reinaldo não se conteve: abraçou-a e trocaram um longo beijo. Depois, rosto corado pela emoção, Milena entregou a passagem e o passaporte para os agentes federais e dirigiu-se para o embarque.

Quando entrou no avião, Milena procurou seu lugar e logo notou que, do lado de sua poltrona, estava sentada uma mulher, magra, de fisionomia fechada, que tentava acomodar um casal de crianças, que insistia em perguntar para onde estavam indo, enquanto ela os mandava ficar quietos e em paz.

Depois de se acomodar na poltrona, Milena tentou conversar com a mulher, mas ela cortou o assunto e não mostrou nenhuma disposição a manter qualquer diálogo.

Milena comoveu-se, pensando no destino daquelas crianças, que tinham de enfrentar tão cedo aquela situação de insegurança. E decidiu entrar no caso do seu jeito. Esperou o avião decolar e, quando o voo estava calmo, a moça sorriu para as duas crianças.

A menina tirou o cinto e aproximou-se dela.

— Como é seu nome?

— Cláudia, e o seu?

— Milena.

Nesse momento, o menino também foi ter com ela.

A mulher fixou-os e disse com voz firme:

— É melhor vocês se sentarem. Não podem ficar andando pelo avião.

Milena interveio:

— Pode deixar que eu cuido deles.

— É melhor mesmo.

Milena levantou-se e depois se sentou na ponta da fileira. As duas crianças, então, posicionaram-se uma em cada lado da jovem.

— E você como se chama?

— Eu sou o Ernesto. Já tenho oito anos e estou aqui para tomar conta de minha irmã.

— Eu tenho cinco anos — tornou a menina sinalizando com os dedos.

Ernesto fixou Milena e comentou:

— Estamos sendo levados de um lado para o outro, durante a noite, e ninguém nos diz nada. Estou com medo. Você sabe para onde estão nos levando?

— Sei. Sua mãe me pediu para tomar conta de vocês, e nós vamos ficar juntos durante algum tempo.

Cláudia pediu com voz triste:

— Eu quero minha mãe...

Ernesto disse nervoso:

— Ela não quer mais a gente. Meu avô falou que ela não gosta de nós e nunca mais vamos vê-la!

Milena baixou a voz, quando disse:

— Isso não é verdade. Sua mãe ama muito vocês. Pediu-me para tomar conta de vocês até que ela possa ir buscá-los. Ela os ama muito.

Ernesto segurou a mão de Milena e disse ansioso:

— É verdade isso ou você está me enganando?

— Pode confiar em mim. Ela quer muito ficar com vocês. Mas, por ora, ela não pode vir. Enquanto isso, vocês ficarão comigo até que ela possa nos encontrar. Quando sua mãe chegar, vocês ficarão juntos para sempre. Pode acreditar!

Ernesto suspirou aliviado e comentou:

— Que bom! Sinto muitas saudades dela.

— Eu também! — tornou Cláudia. — Mamãe sabe contar história de fadas! Você sabe contar também?

— Sei e vou contar uma muito linda!

Milena segurou as mãos de Cláudia e começou a contar:

— Era uma vez uma menina...

O tempo foi passando. Enquanto a mulher que acompanhava as crianças dormia profundamente, Milena, comovida, além de contar histórias, cuidava dos dois, levando-os ao toalete e alimentando-os.

Mais tarde, quando os dois adormeceram, Milena continuou segurando as mãos dos dois irmãos, sentindo amor por aquelas crianças, cujo destino, naquele momento, estava em suas mãos.

Emocionada, ela prometeu a si mesma que faria tudo para que aquelas crianças pudessem viver ao lado da mãe, usufruindo do seu carinho e da sua proteção para sempre.

Quando desembarcaram no aeroporto e passaram pela imigração, já havia uma pessoa segurando um cartaz com o nome de Elaine, que logo se apresentou. Um carro já os esperava do lado de fora para levá-los dali. Amanhecera frio e o céu, cinzento, prenunciava que o inverno estava chegando ao fim.

O motorista ajudou a acompanhante das crianças a acomodar as malas, e ela sentou-se no banco do passageiro, ao lado dele. Durante todo o tempo em que estiveram viajando, a mulher havia trocado poucas palavras com Milena, que não se sentia muito à vontade ao lado dela.

A jovem apenas sabia que ela se chamava Elaine Rocha, tinha quarenta e dois anos, havia sido babá em uma creche durante dez anos e que fora contratada pelo doutor Gilberto para cuidar das crianças.

Milena notou que Elaine mantinha uma atitude séria, mas estava muito atenta ao que se passava em volta dela. Parecia mais uma vigilante do que uma babá. Diante da situação inusitada que estavam vivendo, Milena deduziu que o doutor Gilberto a tinha colocado ali exatamente para garantir o sucesso da viagem.

Assim que Milena e as crianças acomodaram-se no banco de trás do veículo, Ernesto abriu um sorriso e perguntou:

— Nós vamos para a casa de minha mãe agora?

— Não. Nós vamos para um lugar primeiro e esperaremos sua mãe chegar.

Cláudia reclamou chorosa:

— Eu quero minha mãe!

— Calma. Ela vai chegar. Só não sei o dia ainda.

Foi a vez de Ernesto perguntar:

— Vai ser logo?

— Só sei que ela está com muita pressa de vir, mas as coisas só acontecem na hora certa — Milena tentou acalmá-lo.

Os dois calaram-se, enquanto Milena observava que o carro estava deixando estradas mais movimentadas. Depois de meia hora de viagem, pegaram uma estrada vicinal e, pouco depois, pararam diante de uma casa de campo, rodeada de muros altos e cercada de árvores.

Elaine desceu, tirou um molho de chaves da bolsa e abriu o portão. O carro entrou na propriedade e parou diante das escadas da varanda. O motorista auxiliou-a com a bagagem, enquanto as crianças desciam do automóvel com Milena, que admirava o belo jardim.

Elaine olhou em volta, depois abriu a porta da sala e disse:

— Eu vou entrar. Esperem-me aqui.

Ansiosas, as crianças queriam percorrer a casa, mas Milena as segurou:

— Calma. Vamos esperar a Elaine.

Milena sentia que Elaine estava garantindo a segurança do grupo. Enquanto a mulher percorria todos os aposentos, inclusive os quartos do primeiro andar, Milena distraía as crianças, chamando-lhes a atenção para os objetos de arte e para a beleza do mobiliário.

A um sinal de Elaine, Milena subiu as escadas com as crianças. A mulher, então, conduziu-os a uma sala pequena, mas confortável, cuja porta a ligava a uma suíte.

— Você vai ficar aqui. As crianças ficarão no quarto ao lado do seu. Eu ficarei no apartamento que também é ligado ao quarto deles. Assim, os meninos estarão acomodados entre o meu e o seu aposento.

A campainha tocou, e Milena se assustou. Elaine comentou:

— Deve ser a pessoa responsável pelas compras e refeições.

— As crianças devem estar cansadas e com fome. Precisam de um banho para relaxar.

Elaine tirou um molho de chaves do bolso e entregou-o a Milena:

— Essas são as chaves das malas das crianças.

Elaine desceu as escadas, e as crianças rodearam Milena, curiosas para ver o que havia nas malas.

— Vamos levar as duas malas para o quarto ao lado.

Ernesto prontificou-se a levar sua bagagem. O garotinho puxou a alça da mala e foi andando. Cláudia também queria levar a sua, mas a bagagem estava pesada. Ela disse nervosa:

— Eu posso levar.

— Eu sei que pode, mas eu quero ajudá-la. Vamos nós duas.

Ernesto quis arrumar sua gaveta, e Cláudia deu um grito de alegria quando Milena abriu sua mala e ela viu uma boneca.

— Ela veio! Eu estava com muitas saudades! É a Vanda. Foi minha mãe quem me deu!

A menininha beijava a boneca e seus olhos brilhavam emocionados. Milena sentou-se apreciando a cena. Naquele momento, ela sentiu muito amor por aquelas crianças, que, em meio aos problemas dos adultos, estavam vivendo uma situação difícil e perigosa.

A moça não se conteve, fechou os olhos e pediu a Deus e a seus amigos espirituais que auxiliassem aquela mãe aflita, para que ela pudesse viver com seus filhos em paz.

Depois, Milena ajudou Cláudia a colocar suas roupas no armário e conduziu-a, em seguida, para o banho. Enquanto ela auxiliava a menina a vestir um pijama, Ernesto tomava banho. O garotinho não queria vestir roupa de dormir, mas Milena convenceu-o:

— Nós vamos tomar um lanche e dormir um pouco.

— Eu quero sair, dar uma volta, conhecer tudo.

— Antes, nós precisamos descansar. Nós vamos ficar aqui até sua mãe chegar. Teremos tempo para conhecer o que você quiser.

Ernesto reclamou um pouco, mas Milena convenceu-o a esperar. Elaine mandou Hellen chamá-los para o lanche.

As duas crianças disseram que não estavam com fome, mas, diante dos sucos de frutas, dos pequenos sanduíches variados e de alguns doces delicados, não resistiram e comeram muito bem.

Em seguida, Milena levou-os para o quarto, fazendo-os se estenderem nas camas. Já acomodados, a jovem sentou-se na poltrona ao lado e começou a ler uma história. Pouco depois, eles estavam dormindo.

Milena, então, desceu as escadas. Elaine a esperava na sala:

— Sente-se. Precisamos conversar.

Milena acomodou-se, e a mulher continuou:

— Doutor Gilberto já lhe falou um pouco sobre a situação?

— Sim. Estamos em uma situação de risco. Ele pediu-me sigilo e cuidado.

— Todo cuidado é pouco. Ninguém, a não ser dona Estela, sabe onde estamos. Nem doutor Gilberto tem nosso endereço. O que foi que ele lhe disse sobre este caso?

— Além de me pedir sigilo, ele disse que ficaríamos em um lugar distante, mas com todo conforto, até que dona Estela pudesse vir ao nosso encontro, o que pode levar de um a dois meses.

— Ele também não sabia de tudo. No momento, dona Estela está prisioneira em uma fazenda do pai, em Minas Gerais. Soube ontem que ele ficou furioso quando descobriu que as crianças tinham escapado do colégio interno onde ele as mantinha prisioneiras.

— Nesse caso, não sabemos quando dona Estela virá!

— Eu sou do serviço secreto dos Estados Unidos e temos amigos cuidando do caso. Você não pode entrar em contato nem ligar para sua família, por enquanto.

— Eu preciso dar notícias a meus pais, ainda que seja para dizer que estou bem. É a primeira vez que fico fora de casa, e eles são muito apegados a mim.

— Vou ver o que dá para fazer. Só quero que você não faça nada sem falar comigo, pois pode pôr tudo a perder. É bom que saiba que o doutor Augusto Borges é um homem perigoso, capaz de tudo. É mau e tem pessoas que fazem tudo que ele manda. Se ele descobrir onde estamos, não sairemos desta história com vida.

Milena empalideceu, arrependendo-se de ter se envolvido com aquela história. Ainda assim, decidiu cooperar como pudesse e prometeu a Elaine que não faria nada sem que ela soubesse.

— Eu sabia que podia confiar em você.

Apesar da preocupação, os dias que se seguiram foram de calma e bem-estar. As crianças gostavam de brincar no jardim, mas, antes de permitir que elas saíssem da casa, Milena checava se estava tudo bem.

Todos os dias, as crianças perguntavam quando a mãe chegaria de viagem. Como Elaine e Milena não sabiam, respondiam aos irmãos com evasivas, sinalizando que logo ela estaria de volta.

Às vezes, Cláudia acordava durante a noite chorando muito e chamando a mãe. Milena, penalizada, deitava-se ao lado da garotinha e abraçava-a, tentando confortá-la.

Outras vezes, Ernesto tinha pesadelos e acordava gritando que um homem muito feio, com um punhal na mão, estava ali para atacá-lo.

Milena o socorria dizendo com voz firme:

— Não tem ninguém aqui! É apenas um sonho! Vamos rezar!

Em seguida, ela orava, pedindo ajuda aos espíritos. Assim, as crianças iam acalmando-se aos poucos. Como isso estava se repetindo, Milena levou-os para dormir em sua cama, que era muito espaçosa.

Nessa noite, depois que as crianças pegaram no sono, Milena sentou-se ao lado da cama e viu quando o espírito de Marcos Vinícius se aproximou:

— Acalme seu coração, Milena. Nós estamos juntos. Confie na vida. As coisas boas só ocorrem quando estamos ligados com o bem. As pessoas têm seus caminhos, mas a vida é misericordiosa e sempre faz o melhor. Não tema o futuro.

— Eles são tão pequenos, tão indefesos! Chamam pela mãe e estão vivendo uma situação de risco, tendo de se esconder do próprio avô para sobreviverem. Isso é muito doloroso!

— Procure olhar as coisas como elas são. Eles estão protegidos, e você, com carinho, está lhes dando todo o apoio de que precisam. Neste lugar, vocês estão em paz. É uma casa bonita e confortável. Enquanto precisarem estar aqui, aproveite para cultivar neles pensamentos de fé e de amor, para que possam aproveitar esses momentos de paz. Apesar das circunstâncias desagradáveis, vocês estão protegidos e bem. Sinta isso. Aprenda a tirar da vida sempre o melhor, o que for positivo, e poderá transformar completamente esta situação. Acredite na força do espírito! O bem maior está aqui neste momento. Basta crer no poder divino, e todas as coisas irão para seus devidos lugares! A fé move montanhas!

Lágrimas desciam pela face de Milena, quando ela respondeu:

— Obrigada, meu amigo! Foi um momento de fraqueza, em que me deixei levar. Vou me esforçar para manter a confiança e fazer tudo que puder para ficar bem.

— Ajudaria, se mentalizar Estela, muito alegre e feliz, chegando aqui para buscar os filhos.

— Tem razão. É o que farei daqui para frente.

Marcos Vinícius colocou a mão sobre a cabeça de Milena, derramando sobre ela energias de luz e paz. Ela sentiu-se aliviada e agradeceu a ajuda. Em seguida, deitou-se e logo adormeceu.

Duas semanas transcorreram, e tudo continuava em paz, sem novidade. Milena sentiu-se mais calma. Afinal, ninguém sabia onde eles estavam.

A casa ficava fora da cidade, e Elaine não deixava mais as crianças saírem para o jardim. Milena, criativa, inventava muitas brincadeiras para entretê-los. E até Elaine, sempre tão discreta e séria, acabava sorrindo diante da alegria dos três.

Todas as tardes, após o almoço, Milena fazia as crianças descansarem um pouco, e eles, muitas vezes, acabavam pegando no sono.

Uma tarde, enquanto as crianças dormiam, Milena foi à sala onde havia uma estante com livros e um deles imediatamente chamou-lhe a atenção, não só pelo assunto como pelo autor da obra: *A História do Espiritualismo*, de Arthur Conan Doyle. A moça apanhou o livro, acomodou-se, começou a ler e esqueceu-se do tempo.

Elaine entrou na sala, notou o interesse da jovem e comentou:

— É preciso paciência para ler um livro dessa grossura e ainda mais sobre religião.

Elaine nunca manifestava sua opinião, e Milena olhou-a surpreendida. Sorrindo, ela respondeu:

— Este não é sobre religião, Elaine. É um relato sobre algumas manifestações dos espíritos. Algumas pessoas começaram a ouvir ruídos sem que soubessem de onde vinham e alguns curiosos se interessaram em descobrir o mistério contido nisso. Por fim, perceberam que esses sons só aconteciam quando duas irmãs adolescentes estavam presentes. Esse fenômeno chamou a atenção de alguns pesquisadores, que estudaram e descobriram que se tratava de seres de outra dimensão do universo, que já tinham vivido neste mundo. Isso começou quando eles fizeram várias perguntas para esses seres e comprovaram que a vida continua depois da morte do corpo. Souberam também que algumas pessoas têm sensibilidade para sentir a presença desses seres. São os médiuns.

— Isso é loucura. Gastaram tanto papel com essa ilusão?

Milena fixou-a e disse séria:

— Passe o tempo que passar, um dia você ainda vai se lembrar de mim, quando chegar sua hora de aprender como a vida funciona.

Elaine meneou a cabeça negativamente e não respondeu. Pouco depois, as crianças chegaram. Milena, então, teve que fechar o livro, porque Cláudia lhe pedira para contar uma história de fadas.

— Eu prefiro uma história de aventuras... — disse Ernesto.

— Cláudia pediu primeiro, Ernesto. Vou contar uma história bem bonita de fadas. Na estante, há alguns livros de aventuras. Escolha qual você quer que eu leia depois de terminar esta história.

Ernesto escolheu um que atraiu sua atenção e mostrou-o a Milena, que sugeriu:

— Esse é muito bom. Comece a ler e, quando não entender alguma coisa, eu o ajudarei.

Ernesto acomodou-se em uma poltrona e mergulhou na leitura com interesse. Cláudia sentou-se no sofá ao lado de Milena, com os olhos brilhantes, antegozando o prazer de ouvi-la contar a história.

— Era uma vez uma menina muito linda...

Enquanto Milena contava a história, Ernesto lia com muito interesse as aventuras de um menino, que viajava sentado nas costas de um dragão.

O ambiente era de calma e de paz, e ninguém poderia suspeitar o que aconteceria em seguida.

Capítulo 10

Na casa, tudo era silêncio. Todos dormiam. Milena, fora do corpo, sentiu uma energia agradável e viu o espírito de Marcos Vinícius se aproximar. Ele abraçou-a dizendo:

— As coisas vão mudar. Vocês terão de ir para outro lugar. Aconteça o que acontecer, não tema. Nós estamos juntos. Confie em Deus e acredite que o mal não tem força para competir com o bem. A justiça divina é mais forte do que tudo e age sempre de maneira certa. Fique na paz.

Naquele momento, Elaine entrou no quarto de Milena e chamou-a:

— Milena, Milena, acorde! Vamos.

Ela abriu os olhos, ainda sonolenta, sem perceber onde estava.

— Acorde, depressa, vamos! — repetiu Elaine.

Desta vez, Milena abriu os olhos e perguntou:

— O que foi? O que aconteceu?

— Levante. Nós fomos descobertos, temos de sair daqui agora! Vista-se rápido. Acorde as crianças, enquanto eu arrumo tudo para irmos embora. Depressa! Temos que sair daqui o quanto antes!

O tom com que Elaine disse essas palavras fez Milena reagir. Ela levantou-se, vestiu-se e acordou as crianças.

A noite estava muito fria. Milena separava rapidamente a roupa que as crianças iriam vestir, enquanto Ernesto tentava entender o que estava acontecendo.

— Depois eu explico. Agora temos de sair daqui já. Vista-se enquanto eu ajudo a Cláudia — Milena ordenou.

— Vamos encontrar mamãe? — indagou o menino.

— Não sei ainda. Temos de ir embora depressa.

Elaine aproximou-se trazendo duas malas:

— Coloque tudo que pertence a vocês três dentro dessas malas. Não deixe nada que possa comprovar que estivemos aqui.

Enquanto fazia o que Elaine pedira, Milena lembrava-se das palavras de Marcos Vinícius e procurava manter a calma.

Após arrumar tudo, acomodar as malas, Milena e as crianças no carro, Elaine percorreu toda a casa para verificar se haviam deixado evidências de que estiveram ali. Ela ainda encontrou um brinquedo de Cláudia no jardim e entregou-o ao motorista, que a auxiliou a vistoriar o que faltava.

Depois, entraram no carro. Embora aquela fosse uma das muitas propriedades pertencentes à família de Estela, seu pai nunca poderia suspeitar que eles estivessem abrigados ali. Hellen e outra mulher, que trabalhavam na casa, eram pessoas da confiança de Elaine e nada diriam.

O carro partiu e Milena, embora se esforçasse para ficar calma, não sabia para onde estavam indo.

Amanhecia, quando eles chegaram à divisa da da cidade e pararam diante de um hotel. O prédio de três andares era simples, mas limpo, e o lugar era calmo.

— Vamos dormir um pouco e continuar antes do entardecer.

— Para onde vamos? — indagou Milena.

— Não sei ainda. Estou esperando meus contatos.

— Estaremos seguros aqui?

— Acredito que sim. Nós não deixamos nenhuma prova de nossa passagem por aquele local. E as pessoas que nos receberam lá são de confiança.

— Eu ainda não pude falar com minha família, Elaine. Eles devem estar preocupados com a falta de notícias.

— Não se preocupe. Nós tivemos o cuidado de mandar-lhes algumas notícias em seu nome.

— Por que fez isso em meu lugar? Eu poderia ter mandado notícias, como se estivesse fazendo o curso na universidade.

— Fizemos isso para nossa segurança. Está tudo bem.

— Da próxima vez, eu quero ler a mensagem antes de mandar.

— A pessoa que está mandando notícias para sua família mora no local onde você está "estudando". Está tudo bem.

Pensativa, Milena calou-se. Em certos momentos, a jovem arrependia-se de ter aceitado aquela incumbência. A presença de Marcos Vinícius, que a avisaria se houvesse algum perigo, a confortava. Nessas circunstâncias, o melhor seria confiar e fazer tudo que pudesse para cooperar.

Uma vez acomodados no hotel e depois de um banho, o grupo desceu para o restaurante. Passava das sete e o café já começara a ser servido.

Apesar de o hotel ser simples, o café da manhã era farto e variado. Todos se alimentaram muito bem, e Milena levou as crianças para dormir.

O quarto era grande e havia nele duas camas enormes de casal. Milena deitou-se com as duas crianças em uma delas.

Na pequena sala contígua, Elaine conversava com seus contatos. Pouco depois, acomodou-se na outra cama, e os quatro, cansados, logo adormeceram.

Elaine acordou e notou que já havia escurecido. Passava das seis, e ela chamou Milena. Estava na hora de continuar a viagem. Ela já sabia para onde deveriam ir e queria aproveitar a noite para seguir até lá em segurança.

As crianças ainda dormiam tranquilas, e Milena aproveitou para se vestir e cuidar da bagagem. Só chamou-os na hora de se arrumarem para viajar. A noite estava fria, e ela agasalhou-os bem e esperou.

Pouco depois, Elaine entrou e avisou:

— O jantar está sendo servido. Vamos comer e sair em seguida. Sua bagagem está pronta, Milena?

— Sim. Só falta fechar as malas.

— Veja se não ficou nada nosso por aí. Feche as malas. Vamos comer e sair em seguida.

— Pode adiantar para onde vamos?

— Para um lugar seguro. Lá, ficaremos mais tempo e melhor instalados. Vamos ter de conversar com as crianças para treiná-las a assumir outra identidade e participarmos do dia a dia com a comunidade.

— Isso não será perigoso?

— Conto com sua criatividade para fazer com que os dois entrem nessa situação como se fosse uma brincadeira. Vamos ativar a imaginação das crianças para que assumam a identidade de outros personagens.

— Isso não vai confundi-las?

— Não, se for feito do jeito certo. A única maneira de ficarmos protegidos é nos integrando como se fôssemos uma família e levando uma vida normal. Você pode ser a mãe deles; eu posso ser a tia, que também é professora. Vamos programar isso e pôr em prática assim que chegarmos ao lugar adequado.

Milena pensou um pouco e depois perguntou:

— Você tem ideia de quando dona Estela poderá vir para ficar com os filhos?

Elaine fixou-a séria:

— Isso eu não sei. Não depende de mim. Será quando ela puder escapar do pai.

— Você é do serviço secreto. Não poderia ajudá-la nisso? Fazer com que fosse libertada? Estela tem dois filhos para criar. Há leis que a protegem.

— O poder que o pai dela tem reside nas ameaças que faz às pessoas. É um homem prepotente, que não vacila em acabar com alguém que o está incomodando. É temido e inescrupuloso. Enfrentá-lo seria uma loucura. O melhor é agir com inteligência e procurar ser mais esperto do que ele. Pegá-lo de surpresa. Por enquanto, isso ainda não ocorreu. O jantar já está sendo servido. Vamos.

— Antes de irmos, eu gostaria de mandar notícias para minha família.

— Não se preocupe. Como lhe disse antes, nós estamos mandando notícias suas regularmente. Está tudo bem.

— Meu pai é muito ligado a mim, Elaine. Nunca houve segredos entre nós. Se eu não me comunicar diretamente, ele vai notar que não sou eu quem escreve. Sei como ele é.

— Você vai escrever falando do seu curso na universidade, dizendo que está muito bem, e nós vamos fazer essa carta chegar às mãos dele. Eu quero ler antes de enviá-la. E a resposta chegará até você. Está bem?

Milena concordou. Sentia saudades dos pais e pensava também em Reinaldo. O que ele estaria pensando por ela não lhe mandar notícias? Prometera escrever, mas, nas atuais circunstâncias, seria impossível. A situação era perigosa, e ela não queria envolvê-lo.

Naquele momento, Milena arrependeu-se mais uma vez de haver aceitado aquele encargo. Era tarde demais para voltar atrás.

Reinaldo tocou a campainha da casa de Milena, e Nena foi abrir a porta:

— Doutor Reinaldo!

— Gerson está em casa?

— Sim. Entre por favor.

Gerson aproximou-se e abraçou-o dizendo:

— Que bom vê-lo!

Joana juntou-se a eles e, depois dos cumprimentos, convidou:

— Vamos nos sentar na sala e conversar.

Depois de acomodados, Joana perguntou:

— Tem tido notícias de Milena? Recebeu alguma carta?

— Infelizmente, não. Vim aqui para saber como ela está.

Joana trocou um olhar com Gerson e, em seguida, respondeu:

— Não sei o que está acontecendo. A situação está um pouco confusa.

— Como assim?

Gerson interveio:

— Joana acha que as cartas que temos recebido não foram escritas por ela.

— A letra é praticamente idêntica à dela. Não sei se outra pessoa escreveria do mesmo jeito — tornou Joana.

— Não creio. Milena, mesmo estudando muito, teria arranjado tempo para mandar ainda que fossem algumas linhas. Ela mandou-lhe notícias, Reinaldo?

— Prometeu-me mandar assim que chegasse, mas, até o momento, não chegou nada. Vim aqui para saber como ela está.

— Estou preocupado. Nos últimos dias, tenho pensado muito no que aconteceu. Foi o doutor Gilberto quem convenceu Milena a fazer esse curso, dizendo que ela levaria um ou dois meses para concluí-lo e que teria todas as despesas pagas. Eu não deveria tê-la deixado aceitar. Sinto que tem alguma coisa mal explicada — Gerson comentou.

— Nesse caso, vamos falar com esse doutor Gilberto para saber o que está acontecendo. Vocês têm certeza mesmo de que essas cartas não foram escritas por Milena?

— Tenho. Milena é amorosa, mas se expressa com naturalidade. Já essas cartas têm frases superficiais e mais intelectualizadas, o que ela não escreveria, principalmente quando se dirige a nós, que somos pessoas simples — explicou Gerson.

Foi a vez de Joana opinar:

— Cada carta que chega, em vez de me alegrar, acaba por me deixar mais preocupada. Não sei explicar-lhe, mas sinto isso.

— Gostaria de ver essas cartas — pediu Reinaldo.

Gerson foi buscá-las e entregou-as ao médico. Enquanto ele lia, os pais da moça esperavam ansiosos.

— E então, o que acha?

— Se vocês sentem que não foi ela quem escreveu, vamos tirar isso a limpo. Precisamos ver o doutor Gilberto. Ele terá de dar todas as informações sobre essa viagem.

— Eu tinha pensado em fazer isso, mas sou uma pessoa simples. Não conheço as leis, e ele poderia me enrolar. Mas indo com você, Reinaldo, a situação muda. Vamos lá o quanto antes.

— Vou me arrumar, também quero ir! — exclamou Joana.

— Vocês têm o telefone desse advogado? — indagou Reinaldo.

Gerson tirou um cartão do bolso e entregou-o ao médico, que disse:

— É um pouco tarde. Vou ligar para saber se ele ainda está no escritório.

O telefone tocou várias vezes, mas ninguém atendeu.

— Já foram embora, ninguém atendeu.

Joana, que já havia se arrumado para sair, disse nervosa:

— E agora?

— Não se preocupe. Amanhã cedo, eu ligarei para o escritório e, se ele estiver lá, virei buscá-los. Ele terá de nos esclarecer essa história.

— Eu não devia ter deixado Milena fazer essa viagem!

— Calma, Gerson! Amanhã, iremos ver esse doutor Gilberto, e tudo será esclarecido.

— Você vai ligar logo cedo? — perguntou Joana a Reinaldo.

— Vou. Se ele estiver lá, virei buscá-los. Vocês estão preocupados, porque é a primeira vez que Milena viaja para tão longe. Esses cursos livres são intensivos, e é muito provável que ela tenha estado muito ocupada com os estudos.

— Isso ela sempre fez. É estudiosa, esforçada — comentou Joana.

— É, isso é — tornou Gerson e continuou: — Mas você vai ligar logo cedo, não vai?

Reinaldo sorriu:

— Está com muitas saudades, é isso!

Os olhos de Gerson brilhavam emotivos, quando ele respondeu:

— Milena é a luz de minha vida!

Ao que Reinaldo aduziu:

— Ela tem um brilho raro e uma luz especial.

Os três ficaram em silêncio durante alguns segundos, e depois Reinaldo tornou:

— Eu também estou sentindo saudades. Por isso vim até aqui. Mas amanhã, voltarei para irmos buscar o endereço dela. Eu quero escrever para ela também.

— Eu escrevi para essa universidade, mas penso que ela não recebeu minha carta.

— Por que diz isso?

— Porque a última carta de Milena chegou ontem, e ela não comentou nada sobre o que eu escrevi.

— Você disse que recebeu uma carta dela, que deve ter sido escrita por outra pessoa.

— Milena nunca faria uma carta daquela! — comentou Joana meneando a cabeça negativamente. Ela escrevia de modo diferente.

Reinaldo ficou pensativo durante alguns segundos. Milena prometera escrever-lhe e não o fizera, e os pais dela afirmavam que a carta que receberam não havia sido escrita pela moça. Ele sentia que Gerson e Joana estavam realmente preocupados com a filha e que, embora fossem pessoas simples, eram muito ligados a ela. Estaria mesmo acontecendo alguma coisa com Milena?

Esse pensamento começou a incomodá-lo, então Reinaldo decidiu despedir-se dos dois, prometendo-lhes que, no dia seguinte, os levaria para conversar com o doutor Gilberto.

Reinaldo ligou logo cedo para o escritório e soube que, às dez da manhã, o doutor Gilberto chegaria para trabalhar. Em seguida, o médico apressou-se a telefonar para avisar aos pais de Milena que iria buscá-los em meia hora.

Faltavam dez minutos para as dez, quando o doutor Gilberto entrou no escritório e encontrou os três na sala de espera. Cumprimentou-os formalmente, entrou em sua sala, chamou a secretária e perguntou:

— O que essas pessoas estão fazendo aqui?

— São os pais da Milena. O doutor não se lembra deles? Querem conversar com o senhor.

O advogado os reconhecera e sabia sobre o que queriam conversar, mas não podia falar no assunto abertamente. Pensou um pouco e decidiu recebê-los.

Os três entraram, e, depois dos cumprimentos, Gerson pediu ao doutor Gilberto o endereço de onde Milena estava.

— Eu sei que ela está fazendo um curso livre em uma universidade na Filadélfia, portanto, escrevam para lá.

— Eu escrevi, mas acho que ela não recebeu minha carta. Além disso, a carta que recebi de Milena foi escrita por outra pessoa. Eu quero saber onde minha filha está! Essa história está muito mal contada.

— Vai ver que ela estava ocupada e pediu para que outra pessoa fizesse isso. Eu só sei que ela foi uma das escolhidas para fazer esse curso, que vai alavancar sua carreira.

Reinaldo olhou firme nos olhos do advogado e comentou:

— Pelo que sei, o senhor insistiu muito para que ela aceitasse essa viagem. Por quê?

— Nem tanto. É uma jovem muito estudiosa, e esse curso fará com que a carreira dela deslanche.

— Não creio que um curso livre de um ou dois meses tenha tanta força quanto o doutor diz...

Doutor Gilberto fixou-os dizendo:

— Tenho dois clientes de um caso muito importante, que estão me esperando na sala ao lado. Preciso atendê-los com urgência. Vocês têm o endereço da universidade, que aliás consta nas cartas que Milena enviou. Peço que entrem em contato direto com ela. Esse caso não é comigo e eu preciso trabalhar. Por favor, queiram se retirar.

Reinaldo fixou-o firme e respondeu:

— Este assunto ainda não está claro. Vou investigar e, se as suspeitas dos pais de Milena se confirmarem, o senhor vai ter que nos dar respostas convincentes e verdadeiras. Nós queremos ter um contato direto com ela, e o doutor foi a pessoa quem a convenceu a fazer esse curso.

— Meus clientes estão me esperando. Não posso demorar mais. Se essa moça não quer dar notícias, não tenho nada com isso. Passem muito bem!

Doutor Gilberto abriu a porta para que saíssem. Gerson ia protestar, mas Reinaldo disse sério:

— Nós vamos sair agora daqui, mas o senhor nos deve explicações. Voltaremos mais tarde. É bom que já tenha as informações que queremos. Caso contrário, vamos procurar a polícia.

— Isso é um absurdo! Se ela não está na universidade, deve estar se divertindo com novos amigos e não quer ser encontrada. Eu fiz um favor a ela! Nosso escritório pagou-lhe o curso, mas não sou responsável pelas atitudes dessa moça. Onde já se viu?

Os três saíram, e doutor Gilberto fez sinal para o casal que o estava esperando para que entrasse.

Reinaldo disse baixinho:

— Vamos conversar em outro lugar.

Os três deixaram o prédio. Gerson estava nervoso e Joana preocupada. Uma vez no carro, Reinaldo falou sério:

— Há um jeito de eu descobrir o que está acontecendo.

Gerson questionou:

— Como?

— Eu poderia até ligar para a universidade, mas, diante de nossa aflição, prefiro ir até lá. Quero ver se Milena está, de fato, estudando.

— O senhor tem seu trabalho no hospital. Faria isso por nós?

— Sim. Se tudo estiver bem, como penso que esteja, logo estarei de volta. Vou comprar a passagem para viajar o quanto antes. E, assim que chegar lá, ligarei para dar-lhes notícias.

Os olhos de Joana brilhavam emocionados, quando ela disse:

— Eu gostei de você desde o momento em que o vi. Deus o abençoe e o conduza até onde Milena está. Agora, estou mais calma. Nós vamos ficar aqui, rezando para que tudo dê certo.

O médico levou-os de volta para casa e, na despedida, prometeu:

— Assim que comprar a passagem, telefono-lhes avisando.

— Quero saber o dia e a hora do embarque, porque vou mandar uma lembrança para ela.

Reinaldo conseguiu comprar uma passagem para aquela noite mesmo. No hospital, deixou um colega encarregado dos casos mais sérios que ele tratava e avisou aos pais de Milena a hora do voo, apressando-se para conseguir chegar ao aeroporto um pouco antes.

O casal já estava lá esperando-o e entregou-lhe um pequeno pacote.

— Dentro, há uma carta e uma lembrança. Diga a ela que estamos com muitas saudades — disse Gerson.

Joana completou:

— Queremos que ela volte logo. Nossa casa ficou muito triste sem ela. Não vejo a hora de tê-la em casa novamente.

O voo foi anunciado nos alto-falantes. Reinaldo abraçou Gerson e Joana, prometendo-lhes dar notícias assim que estivesse com Milena.

O avião levantou voo, e Reinaldo sentiu um aperto no peito e foi tomado por uma sensação desagradável. Esforçou-se para mudar o pensamento, imaginando que logo estaria com Milena, comemorando o encontro, feliz e em paz.

Capítulo 11

Já havia amanhecido, quando Milena, Elaine e as crianças deixaram a capital. Depois de viajarem algumas horas, entraram em uma pequena cidade do interior da Filadélfia e o carro que os conduzia parou diante de uma casa muito bonita.

Embora o estilo das edificações naquela região fosse semelhante, cada uma tinha algo diferente e, o jardim de todas as casas começar na porta principal e se estender até a calçada da rua, não havia muros.

A primavera estava no início, e as árvores, que enfeitavam a rua, estavam começando a florir, com suas cores variadas e alegres. O bom gosto de cada morador fizera desses jardins um ambiente agradável.

Depois de o motorista abrir a porta da garagem, Elaine comentou:

— Vamos descer do carro dentro da garagem.

As crianças, que já haviam acordado, estavam ansiosas para descer, mas Milena não deixou. Depois de o veículo ser estacionado, Elaine desceu e abriu a porta de comunicação entre a garagem e o interior da casa e convidou-os a entrar.

As crianças gostaram do lugar e queriam sair para brincar no jardim, mas Elaine não deixou e foi taxativa:

— Nós vamos ficar aqui até a mãe de vocês chegar. Terão muito tempo para conhecer tudo, mas, agora, precisam descansar da viagem. Depois vamos conversar e decidir o que vamos fazer.

Enquanto Milena cuidava das crianças, Elaine examinava a despensa e fazia uma lista de compras. Depois, despachou o motorista para buscar os itens de que precisavam.

Ernesto tomou banho primeiro, e Cláudia não queria esperar, mas Milena conseguiu entretê-la, prometendo-lhe que encheria a banheira para que a menina brincasse. Como havia espaço, resolveu entrar junto com ela.

As duas se divertiram muito com a espuma, até que Milena tirou a tampa do ralo e abriu a torneira para que toda a espuma saísse.

Ernesto esperava-as do lado de fora do banheiro e reclamou;

— Por que demoraram tanto? Estou com fome!

— Eu também — disse Cláudia.

— Vamos ver quanto vão demorar para se vestir. Pelo que vi na cozinha, vamos ter um lanche e tanto! Estou morrendo de fome! — Ernesto reclamou.

— Nós também. Não vamos demorar! — prometeu Milena.

Pouco depois, quando Milena e as crianças desceram, encontraram a mesa posta e o lanche já servido. Elaine, ocupada com a organização das coisas, ainda não tinha tomado banho nem trocado de roupa. Ela lavou as mãos e sentou-se para comer com Milena e as crianças.

Ernesto aproximou-se de Elaine, dizendo alegre:

— Você deve estar com muita fome, como nós. Ainda bem que não tomou banho!

Elaine riu, e Milena notou que ela parecia estar diferente. Teria visto bem?

Depois de comerem, Milena levou as crianças para o quarto, colocou-as na cama e sentou-se dizendo:

— É hora de descansar.

— Conta uma história de fadas? — pediu Cláudia.

Ernesto fez uma careta de enfado, virou para o lado, fechou os olhos e, vencido pelo cansaço, logo adormeceu. Já Cláudia, sentindo o calor e a maciez das cobertas, aconchegou-se satisfeita e, embora tivesse se esforçado para manter os olhos abertos, pegou rapidamente no sono.

Leitora inveterada, Milena tinha notado na sala uma estante cheia de livros e foi até lá para escolher um. Enquanto a moça observava encantada as obras que lhe pareceram interessantes, Elaine aproximou-se dizendo:

— Milena, sente-se. Vamos conversar. Precisamos programar nossa estadia aqui, pois temos novas ordens. Agora tudo vai mudar.

Milena acomodou-se no sofá ao lado de Elaine e perguntou:

— O que vai acontecer?

— Teremos que criar novos personagens. Vamos ser uma família normal. Você será a mãe das crianças. Eu, uma tia que vai dar aulas e cuidar da organização da casa.

— Você acha que isso vai funcionar?

— Acho. Crianças adoram o faz de conta. Faremos isso parecer uma brincadeira. Eles vão adorar, e, dessa forma, ficaremos em paz até que dona Estela possa vir nos buscar.

Milena ficou em silêncio durante alguns segundos e em seguida comentou:

— As crianças conseguiram escapar do doutor Augusto, mas é óbvio que ele deve ter colocado pessoas para nos procurar e levá-las de volta. Deveríamos ir para um esconderijo distante, onde ninguém pudesse nos encontrar.

Elaine meneou a cabeça negativamente:

— Isso é exatamente o que ele deve estar pensando, mas nós precisamos ludibriá-lo. Se formarmos uma família comum aqui, ele nunca nos encontrará. Mas, para que você fique mais calma, saiba que temos pessoas nossas infiltradas no pessoal dele. Se houver alguma possibilidade de doutor Augusto descobrir o que estamos fazendo, seremos avisados a tempo de irmos para outro lugar. Agora, vou tomar um banho para que possamos descansar. Quando acordarmos, voltaremos ao assunto.

— Se vamos levar uma vida normal aqui, preciso ligar para minha família. Eles devem estar preocupados comigo e podem atrapalhar todo o plano de vocês. Meus pais são muito ligados a mim e certamente já perceberam que não fui eu quem escreveu as cartas que receberam. Sei o que estou dizendo.

Elaine pensou um pouco e depois disse:

— Desta vez, você escreverá uma carta de próprio punho, conforme o combinado. Temos uma pessoa que vai expedi-la da universidade para sua casa. É o que dá para fazer.

— Vou escrever hoje mesmo, pois, assim, eles ficarão em paz.

No canto da sala, havia uma pequena escrivaninha, onde Milena encontrou o que precisava para escrever a carta para os pais. Ela gostaria de contar-lhes onde estava, falar da alegria das crianças esperando a mãe chegar e das saudades que estava de casa e de Reinaldo.

No entanto, Milena teve de contentar-se apenas em falar das saudades que sentia e do quanto os amava. Como não tinha ideia de quando voltaria, não mencionou nada. Sabia que os pais esperavam mais detalhes, mas foi o que pôde dizer sem comprometer o plano.

Elaine havia lhe dito que o doutor Augusto Borges era muito desconfiado e ardiloso; quando queria alguma coisa, colocava seus capangas para investigar e descobrir a vida de todos os envolvidos.

Milena entregou a carta a Elaine, que a leu e encarregou-se de enviá-la para a pessoa que a expediria a partir do correio da Filadélfia, comprometendo-se a mandar a resposta, se houvesse. Feito isso, a moça sentiu-se mais calma.

No dia seguinte, Elaine sentou-se na sala com todos e disse sorrindo:

— Enquanto esperamos dona Estela, nós vamos brincar de teatro. Vocês gostariam de ser artistas?

— Como no cinema? — indagou Ernesto.

— Sim. Dessa forma, o tempo vai passar mais depressa. Vamos escolher os personagens. O que vocês querem ser?

— Eu quero ser a princesa — tornou Cláudia.

Ernesto pensou um pouco e disse:

— Pois eu prefiro ser um espadachim.

Milena observava em silêncio as crianças, e Elaine continuou:

— Para chegar ao que vocês querem ser será preciso treinar muito. Vamos começar com algo mais simples. Vamos ser uma família. Milena será a mãe e vocês os filhos.

Cláudia fixou Milena, sorriu e perguntou:

— Você quer ser minha mãe, até minha mãe de verdade chegar?

Os olhos da garotinha brilhavam, e Milena abraçou-a dizendo alegre:

— Quero sim! Vou adorar ter uma filha linda e inteligente como você!

Ernesto abaixou a cabeça e não disse nada. Ainda abraçada a Cláudia, Milena aproximou-se do menino, passou um dos braços em volta dele e continuou:

— E você é um menino forte e corajoso. É o homem da casa, que nos irá proteger. Vocês são os filhos que eu sonho um dia ter.

Elaine interveio:

— E eu vou ser a tia e também professora de vocês. Nós vamos estudar juntos!

— Estava bom demais para ser verdade! — exclamou Ernesto, fazendo cara de enfado.

Milena exclamou alegre:

— Eu adoro estudar, aprender como as coisas são. É o melhor da vida!

— Eu não acho — tornou Ernesto. — É cansativo e chato.

— Pelo visto, você nunca teve bons professores. Já eu, adorei meus mestres desde o primeiro ano na escola. Eles me ensinavam contando histórias sobre como as coisas são feitas, sobre como a natureza trabalha, os passarinhos vivem e fazem suas casas. A vida é maravilhosa, mas é preciso saber olhar e procurar as coisas que nos deixam alegres e felizes.

Elaine, que observava a cena em silêncio, sorriu e tornou:

— É isso que nós vamos fazer de hoje em diante. Eu conheço cada história linda! Mas, agora, vamos começar a treinar, pois nosso teatro vai começar. Primeiro vamos dar nomes aos nossos personagens:

— Você, Cláudia, será a Maria. Ernesto será o Antônio e Milena, a Marta.

— E você? — perguntou Cláudia.

— Eu serei Júlia. A partir deste momento, já somos outras pessoas. Tudo bem?

Milena disse séria:

— Está na hora de programar os estudos. A tia Júlia pode cuidar disso a partir de agora, enquanto preparo nosso almoço.

— Enquanto Júlia faz isso, nós vamos brincar de nos esconder — disse Ernesto.

— Vocês dois vão me ajudar na cozinha.

Cláudia exclamou:

— Oba! Quero fazer comidinha para minha filha!

— Eu não vou, não sei cozinhar — declarou Ernesto.

Elaine interveio:

— Dona Marta, para preparar as aulas, preciso avaliar o que meus sobrinhos sabem.

— Tem razão, Júlia. Nesse caso, eles ficam com você.

— Maria e Antônio, vamos nos sentar na saleta para começar.

— Já? — reclamou Ernesto.

— Sim. Agora, só vamos conversar. Amanhã cedo, iremos comprar o material necessário para começarmos os estudos.

Os olhos de Cláudia brilharam:

— Vamos comprar lápis de cor? Adoro desenhar.

— Isso e muito mais.

Enquanto Elaine ia para a saleta com as crianças, Milena foi para a cozinha disposta a encarar o papel de mãe. Aceitando esse encargo, ela passara a assumir o lugar da mãe verdadeira, Estela, que lhe confiara seus filhos, até que pudesse buscá-los.

Estava clareando, quando Reinaldo instalou-se em um hotel na Filadélfia. Estava ansioso para ver

Milena, mas, como era ainda muito cedo, resolveu descansar um pouco antes de ir à universidade.

Ele acomodou-se e logo adormeceu. Sonhou que estava em um lugar cheio de neblina e uma sensação desagradável o envolveu.

Reinaldo, então, resolveu sair dali o quanto antes, quando ouviu uma voz de mulher gritar:

— Estou presa! Me ajude, pelo amor de Deus!

Aflito, Reinaldo olhou em volta e, de repente, viu um quarto escuro, onde havia uma mulher bonita, sentada com as pernas amarradas em uma poltrona, com o rosto atormentado e lavado por lágrimas.

— Estou presa! Me ajude, pelo amor de Deus! Meus filhos correm perigo! São tão pequenos. Não têm culpa dos erros que cometi! Tenha piedade de mim! Preciso de sua ajuda, não me abandone! Eles precisam de mim.

A cena foi tão real que Reinaldo exclamou aflito:

— Não sei onde você está! O que posso fazer?

A cena desapareceu, e Reinaldo acordou sentindo o coração descompassado.

"Foi apenas um sonho", pensou.

Tentando acalmar-se, Reinaldo levantou-se, tomou um copo de água e sentou-se na cama, buscando relaxar. Resolveu tomar um banho e deixou a água corrente lavar seu corpo por alguns minutos, enquanto pensava: "Foi só um pesadelo. Já acabou".

Enquanto se vestia, Reinaldo tentou se esquecer do sonho que tivera e desceu para o café. Mas a cena que vira não lhe saía do pensamento e, a cada vez que se recordava dela, ele sentia um aperto no peito, como se uma desgraça fosse acontecer.

Passando a mão pela testa, Reinaldo disse para si:

— É ridículo ficar assim por causa de um sonho. Logo mais, estarei abraçando Milena na universidade e verei que está tudo bem.

Reinaldo sorriu, desceu para o café e, depois de se alimentar, saiu para tomar um táxi na porta do hotel. Uma vez no campus, informou-se sobre qual dos prédios abrigava a diretoria da instituição.

A manhã estava fresca, mas agradável. O sol tentava aparecer entre algumas nuvens, sem muito sucesso.

Ao entrar no hall do prédio, Reinaldo olhou em volta para situar-se. Algumas pessoas esperavam para ser atendidas em um canto da sala, enquanto uma atendente conversava com uma delas. Quando a pessoa agradeceu e saiu, Reinaldo aproximou-se da mulher, que o fixou:

— Posso ajudá-lo?

— Sim. Aqui está meu cartão. Cheguei ontem do Brasil e gostaria de fazer uma visita a uma estudante brasileira, que está fazendo um curso de especialização aqui. Sou amigo da família e trago para ela uma lembrança dos pais.

— Qual é o curso que ela faz?

— É formada em Direito e veio fazer um curso de especialização.

A atendente pensou um pouco e depois disse:

— Nós temos vários cursos de especialização aqui. Um rapaz irá conduzi-lo à diretoria dessa área.

A mulher chamou um jovem e pediu que Reinaldo o acompanhasse até a diretoria. Pouco depois, o médico estava em uma sala diante de um homem de meia-idade, sentado atrás de uma mesa, que se levantou para recebê-lo. Ao passar os olhos pelo cartão, disse:

— Sou Mark. Em que posso ajudá-lo?

Depois de Reinaldo explicar a razão de sua visita, Mark informou que as brasileiras que estavam estudando na universidade eram monitoradas por uma senhora que morara no Brasil durante anos e que fora contratada para auxiliá-las na adaptação e nas pequenas coisas do dia a dia, principalmente nos cursos de curta duração.

— Ela ministra as aulas? — perguntou Reinaldo.

— Não. Ela cuida dos problemas pessoais e das dificuldades de adaptação das alunas. É uma mulher experiente, e as moças a adoram. Sinto que ela poderá levá-lo até essa aluna.

Reinaldo agradeceu Mark pela informação, e um jovem o levou ao encontro de Donna. Ela morava na ala das estrangeiras e contava com algumas pessoas que a auxiliavam.

Donna recebeu-o com um sorriso de boas--vindas e conduziu-o a uma sala de sua moradia. Simples, alegre, de meia-idade, ela pediu a Reinaldo que se sentasse ao lado dela no sofá e que falasse.

Seja pela indisposição que sentira ao acordar, pelo pesadelo, pelas dificuldades de localizar Milena, Reinaldo sentiu-se aconchegado ao fixar os olhos de Donna e notar o sorriso amigo com o qual fora recebido. Na esperança de poder abraçar Milena em seguida, contou-lhe, até com alguns detalhes, o motivo que o levara até lá.

Donna ouviu-o em silêncio e seus olhos, meio fechados, sugeriam que ela estava prestando muita atenção ao que ele dizia.

Reinaldo finalizou:

— Sei que a senhora conhece todas as brasileiras que fazem os cursos e estou ansioso para saber onde poderei encontrar Milena, para poder abraçá-la e entregar-lhe o pacote que seus pais lhe enviaram.

Donna pensou um pouco, meneou a cabeça e disse séria:

— Milena? Você disse que ela veio estudar aqui há uns dois meses?

— Sim.

— Essa moça nunca esteve aqui nesse tempo. Não conheci nenhuma Milena.

— Tem certeza disso?

— Eu nunca me engano. Essa moça nunca esteve aqui. É tão recente. Se fosse verdade, eu saberia.

— Pense bem. A senhora pode ter se esquecido...

— Não eu! Olho, registro e não esqueço mais. Tenho uma memória especial. É melhor o doutor procurar a moça em outras instituições de ensino. Vai ver que lhe deram o nome trocado. Aqui, ela nunca esteve.

Reinaldo lembrou-se do pesadelo e sentiu novamente um aperto no peito. O que estaria acontecendo com Milena?

Notando o desapontamento de Reinaldo, Donna ofereceu-lhe uma xícara de café, na tentativa de auxiliá-lo. Pouco depois, ele se despediu, ainda sentindo a opressão no peito.

Reinaldo voltou ao hotel, sem saber o que fazer. Deveria procurar em outras universidades? Ele ficara de telefonar para os pais de Milena, mas estava sem coragem, pois Gerson e Joana já estavam inquietos por causa das cartas. O pior era que ele não tinha ideia de onde deveria procurar a moça.

Depois de pensar muito sobre o que fazer, Reinaldo resolveu ligar para o doutor Gilberto no Brasil. Se Milena não estava na Filadélfia, mas em outra cidade ou instituição, ele deveria saber. O médico ligou em seguida, mas ninguém o atendeu. Então, ele resolveu tentar mais tarde.

Reinaldo saiu para conhecer um pouco a cidade, passar o tempo, distrair-se, esforçando-se para livrar-se daquela sensação ruim. Aos poucos, foi sentindo-se melhor.

Era mais de duas horas da tarde, quando voltou ao hotel e ligou para o doutor Gilberto. Ele atendeu e, depois dos cumprimentos, Reinaldo explicou-lhe:

— Estou no campus da universidade na Filadélfia, mas Milena não está fazendo nenhum curso aqui. Tem alguma coisa errada. Foi o senhor quem indicou esse curso a ela. Preciso saber onde ela está.

— Eu indiquei o curso a Milena nessa instituição, porque o escritório já enviou alguns de nossos advogados para lá. Ela disse que gostaria de ir. Mas foi só. Não sei de mais nada.

— Sei que Milena só aceitou por causa de sua insistência. Foi o senhor quem lhe entregou todos os documentos e o dinheiro para financiar a viagem. É o senhor quem está pagando as despesas dela?

— De forma alguma. O próprio escritório adianta o dinheiro, que deverá ser devolvido depois de certo tempo, quando Milena estiver atuando na área em que se especializou. Eu só a auxiliei a tirar a documentação. Mais nada.

— Os pais de Milena receberam cartas assinadas por ela, mas insistem em dizer que ela nunca as escreveu.

— As garotas de hoje não são confiáveis. Vai ver que ela está apenas se divertindo e não quer ser encontrada.

— Essa história está mal contada. Se não me disser a verdade, irei direto à embaixada brasileira e seu nome será citado.

O advogado não respondeu, mas continuava do outro lado da linha. Reinaldo esperou durante alguns segundos e depois tornou:

— Fale, doutor Gilberto. É melhor se abrir.

— No momento, não sei o endereço certo, mas tentarei consegui-lo para você. Deixe o telefone do seu hotel, e eu entrarei em contato assim que souber.

Reinaldo passou o número e considerou:

— Se não me ligar até a noite, tomarei algumas providências.

— Não tome nenhuma providência sem falar comigo, para não prejudicar de fato essa moça.

— Por que está me dizendo isso?

— O senhor está preocupado por nada. Está tudo em paz. Calma. Está tudo bem.

Depois que desligou, Reinaldo sentou-se pensativo. Quanto mais revia os acontecimentos, mais sentia que havia alguma coisa errada.

Como fazer para descobrir a verdade?

Capítulo 12

Estava escurecendo quando Reinaldo tornou a ligar para o doutor Gilberto, mas ninguém atendeu. Ele fora embora do escritório sem lhe dizer nada.

Quanto mais o tempo passava, mais Reinaldo sentia que havia alguma coisa estranha naquela viagem repentina de Milena. Os pais da moça eram pessoas simples, de boa-fé, e poderiam estar sendo ludibriados pelo advogado. Que interesse ele teria nessa história? Por que tanto mistério em relação ao paradeiro de Milena?

Reinaldo ficara de dar notícias aos pais da moça, assim que chegasse à Filadélfia, mas, diante dos fatos, preferiu não ligar. O melhor seria procurá-la melhor para não tumultuar os acontecimentos.

No dia seguinte, Reinaldo acordou cedo, disposto a procurar Milena em outras universidades.

Ele buscou o equivalente ao conselho de educação na Filadélfia, pediu informações sobre os vários cursos de especialização oferecidos nas universidades da cidade e começou a busca.

Não encontrou o nome de Milena registrado em nenhum lugar. Mais tarde, no hotel, a preocupação voltou a incomodá-lo. Teve uma noite de sono pesado.

Reinaldo acordou sentindo-se um pouco cansado. Tomou o café da manhã no hotel e foi novamente procurar Donna, que voltou a afirmar que Milena nunca estivera em nenhuma instituição de ensino superior daquela cidade. Se ela tivesse estado lá, com certeza saberia. Desalentado, Reinaldo voltou ao hotel, sem saber o que fazer.

O médico sentia vontade de procurar a embaixada ou a polícia internacional, mas, diante do que doutor Gilberto afirmara, Milena poderia estar estudando em outro lugar, e ele acabaria atrapalhando suas aulas.

Reinaldo, então, lembrou-se da frase do advogado: "Não tome nenhuma providência sem falar comigo para não prejudicar de fato essa moça. Está tudo bem. Calma".

Que mistério havia por trás dessa viagem de Milena? Certamente, não fora uma viagem comum.

Acontecera de repente. Ele estivera com a moça na noite anterior à sua viagem, e ela não mencionara nada sobre isso.

Na noite seguinte, Milena já embarcava para a Filadélfia. Depois, havia as cartas que os pais diziam não terem sido escritas por ela.

As coisas não estavam claras. Ao lembrar-se de Milena, Reinaldo sentiu um aperto no peito e lembrou-se do pesadelo que tivera com aquela mulher pedindo-lhe socorro, amarrada a uma cadeira em um lugar escuro.

Ao pensar nisso, Reinaldo passou a mão pela testa, numa tentativa de tirar aquele sonho da cabeça e ordenou para si mesmo:

— Preciso me acalmar. O amor que sinto por Milena está fazendo com que eu exagere os fatos. O que está acontecendo é apenas um desencontro. Logo mais, tudo será esclarecido.

O telefone tocou, e Reinaldo atendeu. Era o doutor Gilberto. Depois dos cumprimentos, ele tornou:

— É melhor o doutor voltar para o Brasil. Milena não está nessa cidade.

— Isso eu já sei. Quero saber onde ela está.

— Dou-lhe minha palavra que ela está muito bem, mas não posso dar-lhe o endereço. Precisamos conversar. Venha o quanto antes, e tudo ficará esclarecido. Estou esperando-o.

Doutor Gilberto desligou o telefone, e Reinaldo sentou-se pensativo. Em seguida, decidiu tornar a ligar para o escritório do advogado, mas ninguém atendeu.

O médico respirou fundo e sentiu que não havia mais nada para fazer ali. Naquela noite mesmo, embarcou de volta para o Brasil.

Amanhecia, quando Reinaldo chegou ao Rio e foi direto ao seu apartamento. Estava ansioso para ir ao encontro do advogado, por isso ligou várias vezes para o escritório, mas, novamente, ninguém atendia.

Era muito cedo, então ele decidiu tomar um banho e descansar um pouco. Estava exausto, mas não via a hora de esclarecer aquele assunto.

Apesar do cansaço, Reinaldo não conseguia relaxar, então voltou a ligar para o escritório, mas soube que só abriria depois das dez. Decidiu então ir direto para lá e, cinco minutos antes de a recepcionista abrir a porta, o médico já estava esperando.

Quando ela finalmente abriu o escritório, Reinaldo entrou e pediu-lhe que avisasse ao doutor Gilberto que ele já se encontrava à sua espera.

Meia hora depois, o advogado chegou e, depois dos cumprimentos, levou-o à sua sala, dizendo sério:

— O assunto é sigiloso. Seria melhor que o doutor ficasse fora disso. Eu preferia não falar sobre o assunto, mas, diante de sua insistência, é melhor que saiba do que se trata.

— Eu senti que a história estava mal contada. Fale.

— Antes, o doutor vai me prometer que guardará sigilo sobre o que vou contar-lhe. O caso envolve pessoas conhecidas. O assunto é grave, e eu preferia que o doutor esquecesse tudo isso e não se envolvesse.

— Milena foi envolvida, e eu não vou me omitir.

— Prometa que guardará segredo. Espero que cumpra, para a proteção de todos os envolvidos, inclusive para sua proteção.

— Tem minha palavra. Eu cumpro o que prometo.

— Muito bem. O caso está relacionado a doutor Augusto Borges e sua família. Sua filha única, Estela, traiu o marido, e, ele, por sua vez, matou o amante dela. Eu fui contratado para fazer a defesa do marido de Estela. Com os atenuantes, ele pegou dez anos de prisão e talvez cumpra metade da pena.

Doutor Gilberto fez uma pausa, e Reinaldo pediu:

— Continue...

— O doutor Augusto Borges, homem rico, orgulhoso de sua estirpe, me contratou e ordenou que eu, durante a defesa, invertesse os fatos, apresentando o marido da filha como um homem perverso e fazendo dela apenas uma vítima de suas maldades. No começo, eu não quis aceitar, mas, diante da quantia que ele me ofereceu, fiquei tentado. Se recusasse, certamente outro aceitaria a proposta, e eu perderia a chance de ganhar esse dinheiro. Conduzi o caso de tal forma que a maioria das pessoas ficou do lado de Estela. Você sabe que a questão da honra de um homem é valorizada na justiça e seria fácil defendê-lo, mas o povo é piedoso demais. Bastou colocá-la como vítima, e Arnaldo foi condenado a dez anos de prisão, quando poderia ter saído livre. As pessoas esqueceram-se de que fora a traição de Estela que provocara o crime. A vida é assim. O que se pode fazer?

Reinaldo fixou-o sério e não encontrou palavras para responder. O advogado encarou-o e continuou:

— Sei que essa atitude não me enobrece, mas, se eu não assumisse o caso, outro faria.

— Pois eu prefiro me abster de julgamentos. Não teria temperamento para lidar com essas situações. Mas o que isso tem a ver com Milena?

— Então, acontece que o doutor Augusto determinou como eu conduziria a defesa do genro, não para poupar a filha, mas para afastar a vergonha do erro que ela cometera.

— Não foi para poupá-la?

— Não. No início, acreditei que fosse para poupá-la. Depois, ficou claro que o doutor Augusto queria castigá-la e, por isso, afastou os dois filhos pequenos do convívio da mãe, mandando-os para um colégio interno. Ao descobrir que Estela conseguiu resgatá-los, doutor Augusto a prendeu em uma de suas fazendas, da qual a filha não consegue sair. Está sendo vigiada dia e noite.

— É uma violência. Que idade eles têm?

— Ernesto tem oito anos e Cláudia tem cinco. Pouco tempo depois, fui procurado por uma mulher da fazenda, que me entregou uma carta de Estela, na qual pedia minha ajuda. Ela soube que o pai planejava levar seus filhos para um lugar distante, dizendo que Estela nunca mais os veria. Esse seria o castigo pela vergonha que ela o fizera passar. Se eu a ajudasse a capturar as crianças e auxiliasse a fugir, para reunir-se mais tarde com os filhos, ela me daria uma quantia muito maior que a oferecida por doutor Augusto para conduzir o caso.

— E você aceitou!

— Confesso que senti medo de aceitar. Sabia com quem estava lidando. Tê-lo como inimigo, desafiá-lo, não seria fácil. Augusto Borges é muito poderoso e vive rodeado de seguranças e capangas. Eu sou apenas um advogado, que foi envolvido nessa história. Mas, depois de muito pensar, decidi aceitar. Não foi apenas pelo dinheiro que ganharia, mas um pouco pelo prazer de derrotar esse homem, que usa as pessoas de maneira vil e sem nenhum pudor.

— E então, o que aconteceu?

— Tenho alguns amigos pessoais e conto com duas pessoas simples e inteligentes, que fazem parte de minha família. Nós nos reunimos e elaboramos um plano para descobrir onde as crianças estavam internadas. Quando descobrimos, por fim, o local, nós as tiramos de lá e as escondemos.

— Vocês conseguiram fazer isso?

— Sim. Eu tinha uma colega de faculdade, mulher inteligente, forte, determinada, que se especializara nos Estados Unidos e ingressara no serviço secreto americano. Confio nela. Pedi-lhe ajuda, e ela assumiu o caso e tomou conta das crianças. E é aí que entrou a Milena.

— Milena?!

— Milena é uma moça inteligente, que admiro, respeito, e na qual também confio. Ela está tomando conta das crianças com Elaine, minha amiga, que é do serviço secreto americano.

— Mas, onde ela está agora?

— Em uma cidade nos Estados Unidos. Eu estou lhe contando tudo isso, porque você se intrometeu no assunto. Pensei melhor e achei que deveria contar-lhe a verdade, mas é bom que saiba do risco que seria passar isso para outras pessoas. Espero que guarde sigilo absoluto sobre o que conversamos.

Reinaldo ficou em silêncio durante alguns segundos e depois, sério, tornou:

— Diante de tudo o que ouvi, vou fazer-lhe uma proposta: quero ingressar no seu grupo e colaborar para que as crianças possam viver com a mãe, para que Milena volte para casa e se case comigo.

O advogado meneou a cabeça, falando com certa malícia:

— Um homem apaixonado não teme o perigo!

— Meu amor por Milena está além desta vida. Vem de outros tempos. É com ela que quero ficar. Além disso, ajudar essa mãe a libertar-se desse pai malvado e a ficar com os filhos é uma causa justa.

Doutor Gilberto pensou um pouco e depois comentou:

— Como sei que não adiantaria pedir-lhe para não se envolver no caso, vamos ver o que posso fazer.

— Primeiro, preciso vê-la, falar com o grupo, colocar-me à disposição.

— Para isso, terei de consultá-los, pois preciso saber se vão aceitar ou não sua colaboração. Todo cuidado é pouco. Não podemos arriscar-nos. Prometo que vou falar com eles hoje mesmo. Você pode ir para casa e voltar amanhã para saber o que consegui.

— Nada disso. Você vai entrar em contato com eles já. Eu preciso falar com Milena, saber se está bem.

— Eu afirmo que ela está ótima. Você não tem com que se preocupar.

— Não sairei daqui antes dessa ligação, doutor Gilberto. Por favor.

Gilberto passou a mãos pelos cabelos, pensou um pouco e, em seguida, tornou:

— Está bem. Vou tentar, mas a ligação pode demorar.

Reinaldo sentou-se e fixou-o sério:

— Estou esperando...

Doutor Gilberto pegou o telefone, ligou e, pouco depois, Elaine atendeu:

— Doutor, alguma novidade?

— Vocês estão bem?

— Sim. Tudo na paz.

Em poucas palavras, o advogado contou o que estava acontecendo e finalizou:

— Ele está aqui e quer falar com Milena.

— Isso não estava previsto. Tem certeza de que ele é confiável?

— Eu não ponho a mão no fogo por ninguém, mas ele me parece uma pessoa séria. Trata-se do doutor Reinaldo. Ele é médico e namorado de Milena.

— Diga que ela está bem e que logo estará em casa. É melhor ele não se envolver nisso.

— Eu tentei convencê-lo de que Milena está bem e que seria melhor ele ir para casa e esperar, mas não adiantou. O rapaz é perspicaz, percebeu que havia perigo e ameaçou dar queixa à polícia para encontrá-la. Achei melhor contar-lhe a verdade, e ele ofereceu-se para colaborar conosco.

— É uma pessoa sem experiência. Prefiro que ele desista disso.

Gilberto tapou o bocal do telefone e dirigiu-se a Reinaldo:

— Elaine disse que está tudo bem e que é melhor você ir esperá-la em casa. Logo tudo será resolvido, e Milena estará de volta.

Reinaldo tirou o telefone da mão de doutor Gilberto e disse com voz firme:

— É Reinaldo. Quero conversar com Milena.

Elaine tentou dissuadi-lo, mas, ante a insistência do médico, entregou o aparelho a Milena dizendo:

— É o doutor Reinaldo. Diga só que está bem, que logo estará de volta ao Brasil e desligue em seguida.

As mãos de Milena tremiam, quando ela segurou o telefone:

— Reinaldo!

— Milena! Que saudade! Você está bem?

— Sim. Aqui está tudo calmo.

— Você tem ideia de quanto tempo ainda ficará aí?

— Não sei. Estamos esperando que dona Estela chegue para buscar as crianças, então poderei voltar para casa.

— Essa senhora está presa pelo pai em uma de suas fazendas. Eu quero fazer parte do grupo e ajudar essa mãe a se libertar e a ficar com os filhos. Quero conversar com essa senhora...

— Elaine — interferiu Gilberto.

— Sim.

Milena passou o telefone para Elaine, e Reinaldo continuou:

— Dona Elaine, quero ajudá-los a libertar dona Estela. Se a senhora me disser onde ela está presa, tentarei libertá-la.

— O senhor não tem experiência, e ela está sendo vigiada pelos homens de confiança do doutor Augusto, que não hesitarão em atirar em você. Não seja louco, não cometa essa imprudência.

— As pessoas que trabalham com você devem estar por lá, pelo menos para esperar o momento certo de libertá-la. Peço-lhe apenas, dona Elaine, que me introduza nesse grupo e eu prometo que farei tudo que você mandar. Sou calmo, sei que posso colaborar. O que não quero é ficar de braços cruzados diante de tanta maldade. Depois, Milena está correndo risco e tudo farei para que ela saia dessa situação em segurança.

Elaine não respondeu logo, e Reinaldo ouvia a respiração dela do outro lado e esperou. Por fim, ela cedeu:

— Está bem. Você venceu. Quero falar com o Gilberto.

Reinaldo passou o telefone para o advogado, que disse logo:

— Elaine, fale.

Ela determinou que doutor Gilberto encaminhasse Reinaldo para um encontro com Zito, que daria ao médico todas as instruções necessárias, e pediu para falar novamente com Reinaldo:

— Ainda penso que seria melhor o doutor ficar fora disso, mas sinto que será inútil insistir. O senhor não vai desistir.

— Não mesmo.

— Nesse caso, procure essa pessoa e obedeça suas instruções. Qualquer passo em falso, e o senhor poderá pôr tudo a perder. Isto nunca me aconteceu antes: envolver uma pessoa inexperiente em um processo como esse é uma temeridade. Tenha cuidado. Não converse com ninguém. Jamais mencione qualquer coisa sobre o assunto.

— Não se preocupe. Sou responsável e sei o que estou assumindo. Fique em paz. Vai dar tudo certo.

— Espero!

— Quero falar novamente com Milena.

Sem dizer nada, Elaine passou o telefone para Milena, que falou com o coração batendo forte:

— Alô!

— Não vejo a hora de poder abraçá-la e dizer-lhe o quanto a amo! Estou com muitas saudades! Tenho pensado em seus pais. Eles estavam preocupados por terem recebido cartas, que não foram escritas por você. Não fui vê-los, porque não sabia onde você estava e tive receio de preocupá-los ainda mais.

— Está tudo bem. Eu escrevi uma carta que chegou às mãos deles. Também estou com saudades de você. A lembrança daquela noite em que nos despedimos está sempre comigo.

— Logo estaremos juntos de novo e nunca mais nos separaremos.

Gilberto afastou-se um pouco para que o médico pudesse ter privacidade para conversar com Milena e só voltou a aproximar-se quando Reinaldo desligou.

— Você quer mesmo participar do grupo na fazenda?

— Sim. Estou ansioso para que tudo isso acabe.

Gilberto conversou com Zito e soube que Elaine já havia autorizado Reinaldo a integrar o grupo.

Quando Elaine comunicou a entrada de Reinaldo no grupo a Zito, ele não gostou da notícia e questionou:

— Isso não vai dar certo! Ele não tem experiência e poderá pôr tudo a perder.

— Ele não vai desistir. Pensei bem e achei melhor tê-lo por perto, mantê-lo sob vigilância e evitar que nos atrapalhe.

— É um risco desnecessário que vamos correr.

— Mantenha-o ocupado e fique de olho nele. Você tem pessoas firmes, inteligentes, que saberão lidar com esse rapaz.

Zito ainda tentou argumentar, mas Elaine manteve-se firme, e, por fim, ele concordou. Em seguida, ligou para Gilberto, dizendo que estava na cidade de Uberlândia, em Minas Gerais, e passou-lhe o número de seu telefone:

— Diga a ele para me ligar e mandarei buscá-lo.

Reinaldo interveio:

— Deixe-me falar com ele.

Gilberto passou-lhe o aparelho, Reinaldo identificou-se e continuou:

— Senti que você tem receio de me aceitar no grupo. É bom que saiba que sou calmo, cuidadoso, bom observador e pretendo obedecer seus comandos e ajudá-lo no que puder. Estou certo de que venceremos essa batalha.

— Espero que você seja mesmo tudo isso. Saiba que não admitirei indisciplina. Ainda está em tempo de desistir. Nós somos capazes de resolver esse assunto sem a sua ajuda. Pode acreditar. O caso é sério, e não estamos brincando. Não acha que seria mais sensato esperar o resultado do nosso esforço?

— Não. Eu quero participar. Farei tudo para auxiliá-los. Acredite em mim. Amanhã mesmo, chegarei aí. Pode me esperar.

Depois de desligar o telefone, Gilberto ainda tentou demover Reinaldo de sua decisão, mas todos os seus argumentos foram inúteis.

Passava das quinze horas, quando o médico deixou o escritório do advogado. Sentindo fome e cansaço, passou em um restaurante, comeu e foi para seu apartamento.

Reinaldo tomou um banho, vestiu um pijama leve, deitou-se na cama e sorriu, pensando que, em breve, estaria com Milena. Logo adormeceu.

Capítulo 13

Era madrugada quando Reinaldo acordou. Estava escuro e ele acendeu o abajur. O relógio marcava três horas. O médico continuou deitado, pensando que o tempo ia demorar a passar.

Ele estava ansioso para que clareasse e pudesse ir juntar-se a Zito. Pensou em Milena e ficou imaginando os momentos de amor que viveriam quando se encontrassem.

Reinaldo levantou-se da cama, arrumou suas coisas e deixou tudo pronto para viajar. Depois, como estava sem sono, recostou-se no sofá e apanhou uma revista para passar o tempo e acalmar a ansiedade.

Seja pela penumbra, provocada pelo luar, que iluminava o quarto pelas frestas da janela, criando um ambiente suave e agradável, ou pelo cansaço, Reinaldo sentiu certa sonolência. Seus olhos, então, se fecharam e ele viu um homem alto, moreno, de meia-idade, que tomou seu braço dizendo:

— Venha. Temos que conversar.

Reinaldo teve a sensação de conhecê-lo, mas não se recordava de onde. Decidiu perguntar:

— Quem é você?

— Um amigo. Venha comigo.

— Para onde vamos?

— Ao lugar onde você terá de estar mais tarde.

Eles deixaram o quarto e atravessaram a janela. As estrelas coloriam pedaços do céu, e eles levitaram. Deslizando pelo espaço e olhando do alto as luzes da cidade, que ainda estavam acesas, Reinaldo foi tomado por uma sensação de prazer, que nunca experimentara antes.

À medida que se afastavam, a paisagem modificava-se. Estavam no campo, onde havia um casarão no meio de um grande terreno, rodeado por árvores e pequenas casas um pouco mais adiante.

— Venha, vamos descer.

Antes que Reinaldo perguntasse, o homem esclareceu:

— Sou o Lauro. Estela está presa aqui, e você vai nos ajudar a libertá-la.

— Como poderei fazer isso?

— Desejo mostrar-lhe como as coisas funcionam entre os dois mundos. Nós não temos como agir na matéria, e você também não se recorda de como fazer para lidar com o mundo astral. Teremos de juntar nossos esforços e agir com inteligência e firmeza.

— Acha que conseguirei?

— Devo esclarecer-lhe que esta história começou há muito tempo e você fez parte dela. Agora, a vida está lhe dando mais uma chance de completar o que antes não conseguiu realizar. Você reencarnou, esqueceu o passado, mas voltou para tentar resolver as diferenças e seguir adiante.

— Milena também faz parte dessa história?

— Sim. Vocês estão tendo uma chance maravilhosa de resolver assuntos importantes, encontrar entendimento, perceber a verdade, libertar-se e construírem uma vida mais produtiva.

— Quando conheci Milena, senti que era um reencontro. Que já a conhecia de algum lugar. Senti que ela é a mulher da minha vida e é com ela que quero ficar.

— O futuro dirá. Lembre-se de que ninguém é de ninguém. Cada um é um. A principal missão do espírito é cuidar de si em primeiro lugar, se esforçar para aprender como as coisas são, progredir, conquistar e realizar o melhor, para ter o mérito de alcançar uma vida mais feliz.

— Juntos, teremos mais condições de fazer isso. Não consigo ver a vida sem ela — Reinaldo tornou.

Havia um brilho de emoção nos olhos de Lauro, quando ele disse com suavidade:

— O amor compartilhado é uma bênção, mas é bom perceber que, mesmo amando um ao outro, o espírito é livre e só é feliz quando respeita a própria liberdade. A vida tem muitos caminhos. Você pode escolher e experimentar como quer viver. Mas tudo muda, e as ligações amorosas vão se modificando conforme as necessidades de progresso de cada um. Uma união poderá durar mais tempo se ambos souberem lidar com seus sentimentos, respeitarem a liberdade do parceiro, mas continuarem cuidando de si mesmos em primeiro lugar. Ser autossuficiente é um mérito do espírito evoluído.

— Pois eu quero viver com Milena pela eternidade.

Lauro não respondeu. Fixou-o, sorriu levemente, depois mudou de assunto:

— Veja, três homens estão de guarda, dois estão conversando. Vamos ouvir o que dizem.

Reinaldo e Lauro aproximaram-se e ouviram que um deles dizia irritado:

— Eu não estou gostando dessa calmaria. Quanto tempo ainda teremos de passar as noites aqui de vigília, sem que nada aconteça? Eu queria estar dormindo na rede com a Maria. Por que ele não acaba com ela?

— Ele nunca vai fazer isso. Está furioso por causa das crianças. Onde será que elas estão?

— Se eu pudesse, ajudaria dona Estela. Se alguém me tirasse um filho, não sei o que faria. Acho que matava.

— Cale a boca, João. É melhor não ficar falando besteira por aí. Já pensou se o chefe escuta? Fica na sua, senão vamos pagar o pato.

Os dois se calaram, e Lauro comentou:

— Ouviu? Esse moço poderá nos auxiliar.

— Ele está com pena de Estela...

— Isso mesmo.

Lauro colocou a mão sobre a testa do moço e mentalizou as crianças, como se estivessem ali, na frente dele.

João remexeu-se inquieto, mas não disse nada. Lauro abraçou-o dizendo:

— Pobre dona Estela. Ela é mãe e adora os filhos. Só deseja poder criá-los e fazer deles pessoas de bem. O pai dela separou-a dos próprios filhos. É um homem sem alma, muito malvado.

João respirou fundo e depois comentou:

— Estou pensando... Onde será que essas crianças estão? Será que o chefe acabou com elas? Ele é perverso. Pode mesmo ter feito isso.

— Você não deveria se meter no que não é da sua conta.

João calou-se, e Lauro aproximou-se de Antônio, colocando a mão na testa do homem, que, pouco depois, disse nervoso:

— Se aguente aí, que estou passando mal. Não sei o que eu comi, mas estou com uma dor de barriga... não dá para esperar.

Antônio saiu quase correndo. O terceiro homem, que estava quieto, foi atrás dele, e Reinaldo perguntou:

— O que fez com eles?

— Afastei-os para que suas energias não atrapalhem João. Amanhã, quando voltarmos aqui, ele estará pronto para nos ajudar.

— Não sei se poderei estar aqui amanhã. Logo cedo, falarei com Zito e não sei o que ele vai determinar. Prometi obedecer suas ordens.

— Zito está planejando uma ação no meio da noite para libertar dona Estela. Você estará aqui com ele e com mais outros dois. Eu virei junto.

— Espero que dê tudo certo!

— Há uma boa chance. Vamos confiar e agir.

Lauro aproximou-se de João e abraçou-o dizendo:

— Você é um bom rapaz. Não deveria estar aqui com essa arma nas mãos.

João sentiu vontade de ir embora, mas se conteve. Antônio e o outro ainda não tinham voltado. Ele, então, começou a pensar em deixar a fazenda e procurar trabalho na vila ou em outro lugar qualquer. O que ele queria mesmo era casar com Maria, trabalhar, tocar a vida e formar uma família.

Lauro continuou perto de João, falando:

— Você é um homem de fé. Reze e peça a Deus que o ajude a realizar seu sonho: casar com Maria, criar filhos, formar uma família. Você está cansado de viver sozinho. É hora de mudar sua vida. Poder chegar em casa, depois de um dia de trabalho no campo, cuidando de seu pedacinho de terra, e encontrar Maria esperando-o com uma comidinha especial, que só ela sabe fazer. Brincar com as crianças na rede, fazê-las dormir e, depois, ter Maria nos braços. Essa é a vida que você quer!

Enquanto Lauro falava, João imaginava tudo isso. Estava apaixonado e esse era seu maior sonho. Sentiu vontade de largar tudo, de ir embora, mas não teve coragem, porque os outros dois não voltavam e ele tinha muito medo do patrão, que não admitia indisciplina. Mas, naquele momento, decidiu que, no dia seguinte, começaria a procurar outro trabalho.

Reinaldo observava a cena admirado e comentou:

— Eu sempre imaginei que havia anjos auxiliando as pessoas no mundo, mas há pessoas como você que também fazem esse trabalho.

— Fazer o bem é sempre um prazer para nossa alma.

— As coisas no mundo nem sempre são fáceis. Será que João vai conseguir?

— Ele está determinado. Tudo é possível quando a pessoa crê.

Os outros dois homens estavam voltando. Lauro segurou o braço de Reinaldo e continuou:

— Vamos embora.

Em poucos instantes, eles chegavam ao hotel, entrando no quarto de Reinaldo através da janela. O médico fixou-o dizendo com voz suave:

— Eu nunca havia tido uma aventura como esta. Minha vida vai mudar depois dessa experiência. Obrigado por ter me levado.

Segurando a mão de Reinaldo, Lauro puxou-o para seu corpo adormecido e disse:

— Continue dormindo. Procure relaxar, descanse, pois logo vamos nos encontrar com Zito.

Reinaldo acomodou-se no corpo, virou para o outro lado e continuou dormindo.

Passava das nove, quando Reinaldo acordou, olhou em volta e lembrou-se de ter saído do corpo durante a madrugada e ter volitado sobre a cidade adormecida. Teria sonhado ou aquilo acontecera mesmo?

Reinaldo levantou-se do sofá e foi em direção a uma poltrona. Sentou-se pensativo e lembrou-se da sensação agradável que levava no peito e do prazer que sentira ao viajar com naturalidade pelo espaço.

Pessoas, antes dele, haviam experimentado e relatado o que ele vivenciara, mas havia sempre certa dúvida em torno disso. Agora, ele tinha a certeza de que acontecera de fato. Além disso, havia a presença de um espírito, que não só conviveu com ele, como o conduzira nessa viagem.

Era um espírito bom, que auxiliava as pessoas, mas havia também aqueles que eram menos evoluídos e ainda permaneciam no mal. Sentia que precisava refletir sobre esse assunto.

Milena lhe falara que conversava com espíritos desde pequena e que eles eram do bem. Reinaldo sentia que precisava estudar mais.

Quando tudo isso passasse e eles estivessem juntos, a moça o ajudaria a entender um pouco mais sobre o assunto. Tivera provas que haviam mudado todos os seus conceitos sobre espiritualidade. Estava na hora de situar-se e de colocar os pés no chão.

Reinaldo estava ansioso para seguir adiante e saber o que mais precisaria aprender.

Passava das duas da tarde, quando Reinaldo entrou na sala de Zito e se apresentou.

Magro, alto, moreno, de testa alta e olhos vivos e penetrantes, Zito, apesar de carregar alguns fios de cabelos brancos nas têmporas, tinha ares de menino. Ambos, olhos nos olhos, tentaram se analisar rapidamente.

Zito convidou:

— Sente-se. Vamos conversar.

Reinaldo sentou-se diante da mesa, e Zito continuou:

— Tem certeza de que quer mesmo juntar-se a nós?

— Tenho. É o que mais quero.

— Por quê?

— Para que essa história termine e eu possa levar Milena de volta pra casa.

— Lidar com esse assunto é para quem tem experiência. Estamos lidando com pessoas perigosas e o risco é grande. Ainda penso que seria melhor você não se envolver nisso.

— Já estou envolvido e só saio disso ao lado de Milena.

— Já vi que não vai desistir.

— Não mesmo.

— Saiba que está criando um problema inesperado, que eu preferia não ter. Preciso estar muito atento e lúcido, para executar o que planejamos fazer. Não vou poder ficar tomando conta de você. Portanto, saiba que está arriscando muito querendo ficar no grupo. O amor por uma mulher não vale tudo isso.

— Ajudar uma mãe, que deseja ficar com os filhos para poder educá-los com amor, também é um bom motivo. Sou movido pelas duas coisas.

Zito fixou-o, sorriu levemente e comentou:

— Está bem. Vou apresentá-lo aos companheiros, mas, desde já, aviso-lhe que, em vista de qualquer atitude fora do que queremos, você será afastado. Onde está hospedado?

— Em um hotel na cidade próxima.

— Daqui a pouco, vamos nos reunir para repetir o plano e verificar todos os detalhes. Você não precisa participar disso. Eu ficarei mais tranquilo em saber que você está nos esperando no hotel.

— Eu posso ficar aqui desde já, me inteirar do plano e colaborar.

— Está bem. Você venceu.

Zito chamou um dos rapazes, apresentou-o a Reinaldo e disse:

— Este é o Nelson. Ele vai colocá-lo a par do nosso plano nos mínimos detalhes. Logo mais, à noite, nos reuniremos para rever os detalhes. Então, vamos ver como você vai se posicionar.

Reinaldo apertou a mão que Zito lhe oferecia e o acompanhou até uma sala ao lado, onde havia algumas redes, uma mesa tosca, alguns bancos e artigos de pesca e de lavoura.

Nelson era um homem de meia-idade, moreno, forte, atarracado, cabelos grisalhos, olhos calmos, sério e atento. Sobre a mesa da sala, havia uma pasta de onde ele tirou alguns papéis. Em poucas palavras, Nelson explicou o plano que teriam de realizar e finalizou:

— É isso. Nós vamos estar atentos. Planejamos as coisas, mas, na hora, tudo pode acontecer.

— Sei cuidar de mim. Não se preocupe.

— Vamos repetir os detalhes. Você ficará de guarda do lado de fora da porta e, se notar qualquer ruído, só mexa no trinco duas vezes. É o sinal que aconteceu algo fora do planejado. Conforme for o caso, entre e feche a porta pelo lado de dentro. Entendeu?

— Sim.

— Vamos repetir.

Diversas vezes, Nelson fez Reinaldo recordar o plano, a hora de começar a agir e tudo o mais.

Estava escurecendo, quando Reinaldo voltou ao hotel. Estava cansado e com fome. Tomou um banho, jantou e foi deitar-se. Ficou rememorando o plano, nos mínimos detalhes.

Ele sabia que havia uma mulher que os ajudaria, colocando um sonífero na bebida dos vigias, que passavam a noite de guarda na porta do salão onde Estela estava presa.

Nas mãos de Reinaldo, havia um desenho com os mínimos detalhes do interior do salão, onde Estela estava presa. Havia grades nas janelas e tranca nas portas. Ele estava ansioso para que ela fosse libertada. Não só para que aquela situação acabasse e ele pudesse retomar sua vida pessoal com Milena, como também para que Estela conseguisse atingir seus objetivos.

Esperar era-lhe angustiante. Preferia agir logo, enfrentar a situação. Mas prometera obedecer ao plano, conforme queriam. Durante mais algum tempo, reviu várias vezes o que fariam.

Depois, pensou em Milena, nos beijos que haviam trocado, no prazer de estarem juntos, e ficou imaginando como seria bom poder reencontrá-la sem que nada os separasse. Embalado por esse sonho, Reinaldo logo adormeceu.

Pouco depois, ele levantou-se, sentindo-se leve e disposto. Olhou em volta e viu seu corpo adormecido sobre a cama. O espírito de Lauro se aproximou, segurou o braço de Reinaldo e ordenou:

— Vamos. Temos de continuar.

— Mudaram os planos?

— Não.

— É uma pena. Eu gostaria que chegasse logo o momento.

— As coisas acontecem no tempo certo. Quando as circunstâncias estão favoráveis.

Lauro conduziu Reinaldo ao local onde Estela estava presa e juntos entraram no salão.

Nervosa, Estela caminhava de um lado a outro. Lauro aproximou-se dela, colocou a mão em sua testa, e disse:

— Acalme-se. Estamos aqui para ajudá-la.

Estela parou, olhou em volta, e depois perguntou baixinho:

— Lauro? É você?

— Sim. Trouxe o doutor Reinaldo. Ele é médico e ainda está na carne. É o namorado de Milena e juntou-se ao grupo para auxiliá-la.

— Estou ouvindo sua voz. Gostaria de poder vê-los!

— Já sente minha presença e ouve o que lhe digo. Isso já é uma conquista sua.

— Estou angustiada. Soube que meu pai virá esta noite. Não sei que maldade ele fará.

— Confie em Deus. Estamos juntos. Acalme seu coração. Acredite, o bem sempre vence. Estenda-se na cama, feche os olhos e relaxe. Não tenha medo de nada. Ficaremos aqui enquanto seu pai estiver.

Estela obedeceu, e Lauro pediu a Reinaldo:

— Ligue-se com seu mundo interior. Sinta sua alma, estenda as mãos sobre o peito de Estela e envolva-a com energias de amor e luz.

Emocionado, Reinaldo obedeceu e sentiu que dentro do seu peito brotava uma alegria diferente, de paz, conforto e fé, que nunca se recordara de haver sentido.

Lauro estendeu as mãos sobre a testa de Estela e delas saíam energias coloridas, que desciam pelo corpo da mulher, fazendo-a estremecer levemente.

Estela suspirou e, aos poucos, foi relaxando e sentindo-se melhor.

— Lembre-se de que nós estamos aqui. Não absorva nada do que seu pai lhe disser. Não dramatize. Ignore a presença dele.

Pouco depois, ouviram o barulho de uma chave sendo introduzida na fechadura. A porta abriu-se.

Um homem forte, moreno, alto, de cabelos grisalhos, entrou no salão acompanhado de um rapaz, que portava uma lanterna que iluminou o ambiente.

Ele aproximou-se de Estela, que continuou deitada, e fixou-a, dizendo:

— Levante-se. Eu estou aqui. Ajoelhe-se e peça perdão por tudo o que você me fez!

Estela sentou-se na cama, encarou-o e respondeu:

— Eu nunca lhe fiz nada. Não tenho que lhe pedir perdão.

— Você continua me enfrentando! Onde estão meus netos? Para onde os levou? Enquanto não me disser, continuará presa aqui. Eu tenho sido muito paciente com suas atitudes, mas prepare-se. De agora em diante, vamos mudar e, então, você vai saber o que acontece com quem me enfrenta dessa forma.

— Tenho minha consciência tranquila. Nunca o ofendi.

— Diga, para onde levou meus netos? Onde eles estão?

— Eu não sei e se soubesse não lhe diria. Eles devem estar em um lugar, a salvo de suas maldades.

— Pensa que me engana? Claro que sabe onde estão! Você tornou-se uma mulher adúltera e fez seu marido tornar-se um criminoso. Por que não reconhece seu crime e tenta me pedir perdão? Você envergonhou a família. Nosso nome ficou maculado.

— Nada fiz contra ninguém. Não tenho que lhe pedir perdão.

Augusto Borges segurou o braço de Estela, dizendo irritado:

— Por que não me obedece? Não aceito sua atitude. Você não merece o meu nome. Não sei por que ainda a estou aturando. Diga-me, onde os meus netos estão? — gritou ele.

— Eu não sei. E se soubesse, nunca lhe diria!

O rosto do homem coloriu-se de vivo rubor. Ele levantou a mão para bater em Estela, mas, nesse instante, empalideceu e teria caído se os dois homens, que estavam mais atrás, não o houvessem amparado.

Sentindo um forte mal-estar, Augusto não conseguia respirar e saiu cambaleando. Lauro e Reinaldo continuavam orando, ao lado de Estela.

Pouco depois, ouviram o barulho de um carro, e Lauro disse aliviado:

— Ele foi embora. Vamos refazer o ambiente.

Três espíritos se aproximaram, fizeram a limpeza das energias negativas e partiram.

Lauro aproximou-se de Estela e perguntou:

— Como se sente?

— Aliviada por ele ter saído daqui.

— O pior já passou. Procure ficar calma. Está tudo bem. Você precisa reagir e se alimentar. Tem de ficar forte.

— Meu pai não vai aceitar minha atitude. Assim que se sentir melhor, vai voltar pior. Estou com medo...

— Acalme-se. Desta vez, ele vai demorar a voltar. Você está protegida e amparada por nossos amigos espirituais. Lembre-se de que o bem vence o mal e confie na vida. Estamos juntos.

— Assim que ficar bem, ele virá aqui outra vez.

— Não desta vez. A raiva e a prepotência, quando contrariadas, fazem mal e o corpo sofre as consequências. A saúde de Augusto já não é a mesma. Não se esqueça de que você está sob a proteção de nossos maiores. Reaja. Não é hora de ter medo, mas de pensar no bem para que o melhor aconteça.

— Vou me esforçar para isso.

— Agora, podemos ir. O seu pai não voltará tão cedo. Está sendo monitorado. Quando decidir voltar, estaremos aqui para preveni-la. Trate de alimentar-se melhor e ficar forte. Lembre-se de que a calma e a confiança na proteção divina nos fortalece e ajuda, para que tudo aconteça da melhor forma. Você não está só. Nós temos de ir. Dois amigos nossos ficarão aqui para protegê-la.

Lauro abraçou Estela, dizendo emocionado:

— Fique na paz. Juntos venceremos!

— Além de você, também gostaria de agradecer ao doutor Reinaldo.

— Ele fez questão de ingressar no nosso grupo. Enquanto o corpo dele descansa no hotel, seu espírito fora do corpo está se preparando. Logo mais, estará com Zito de corpo e alma.

— Deus os abençoe! Estou certa de que ele e Milena serão muito felizes!

— Agora, relaxe. Aproveite a calma do momento. Vai dar tudo certo.

Os dois se despediram, e Lauro segurou o braço de Reinaldo dizendo:

— Vamos embora.

Os dois volitaram, e Reinaldo, emocionado, exclamou alegre:

— Que maravilha! Sinto um prazer muito grande no peito, algo que não dá para descrever! Algumas pessoas me contaram como era a viagem astral, afirmando que essa era a grande verdade da vida. Viajar fora do corpo é uma sensação nova, maravilhosa de prazer e liberdade, que eu nunca esquecerei! Você me mostrou a eternidade do espírito e isso é precioso!

— Você já tinha conhecimento para fazer isso sozinho, Reinaldo. Só não o fez, porque, tendo encarnado, ficava uma dúvida sobre essa capacidade. Mas agora, você sabe. Amanhã, quando você for ao encontro do Zito, estarei do seu lado.

— Isso me deixa em paz. Estou certo de que venceremos.

Lauro sorriu, Reinaldo acomodou-se no corpo e, cansado, logo adormeceu.

Capítulo 14

Na manhã seguinte, Reinaldo acordou e viu os raios de sol infiltrarem-se pelas frestas da cortina. Ele sentou-se na cama, olhou o relógio e notou que já passava das dez. Ele gostaria que o tempo passasse rápido, para ir encontrar-se com o Zito e continuar o treinamento com o grupo, mas tentou conter a ansiedade.

Nada podia dar errado, e Reinaldo teria de estar consciente de sua responsabilidade. Ele, então, tomou um banho, vestiu-se e, depois de tomar café no restaurante, voltou para o quarto e tratou de reler o plano de ação.

Reinaldo lembrou-se do local conforme vira durante a noite, fora do corpo, na companhia de Lauro. Ao recordar essa viagem especial, o prazer que ele sentira se repetiu. Entusiasmado, não se conteve e exclamou:

— É extraordinário! Sinto-me privilegiado e forte! O que mais ainda vou descobrir?

Extasiado, Reinaldo lembrou-se de que, fora do corpo, tivera uma visão diferente: percebera todos os pensamentos dos homens que ficavam de guarda na porta do salão.

Um deles, aborrecido com a situação, descarregava sua raiva, desejando que o patrão fosse castigado pela maldade que fazia com a própria filha. O homem obrigava-o a passar as noites tomando conta daquela porta, quando gostaria de estar na rede, abraçado com a mulher.

Por sua vez, o outro capanga, que estava fazendo a ronda, precisava passar de hora em hora em volta da casa e verificar se tudo estava em ordem. Levava uma garrafa de aguardente consigo e, disfarçadamente, ia bebendo, a ponto de o companheiro chamar sua atenção para que não dormisse.

Reinaldo lembrou-se de que Lauro pretendia, na noite da ação, sugerir ao vigia de levar a bebida consigo,e Estela poder ser libertada sem violência e com mais facilidade.

O tempo estava custando a passar. Reinaldo gostaria de não ter de esperar nem mais um minuto.

À tarde, o grupo reuniu-se e recomeçou a rever a estratégia, tentando antever quais situações de risco poderiam enfrentar. Diante de tantas possibilidades mencionadas, Reinaldo entendeu que eles estavam certos.

Depois do treinamento, já anoitecia quando Elaine ligou para Zito, querendo saber detalhes sobre o andamento do projeto.

Enquanto conversavam, Reinaldo não perdeu a chance e pediu para falar com Milena. Foi com emoção que a moça atendeu o telefone:

— Reinaldo, você está bem? Tenho sonhado com você.

— Estou bem, mas gostaria que o tempo passasse mais rápido e que tudo isso acabasse.

— Você não deveria ter se envolvido no caso. Eu não estou correndo nenhum risco, mas temo por você. Poderia ter vindo ao meu encontro, teria sido melhor.

— Teria sido muito melhor, mas não posso ficar fora disso, enquanto duas crianças estão longe da mãe e você está distante de mim. Não vejo a hora de realizar nosso casamento e de podermos ficar juntos para sempre.

— Tome cuidado. Pelo que sei, o doutor Borges é um homem perigoso. Além de mau, é vingativo. Não quero que nada de ruim lhe aconteça! Tenho pedido aos meus amigos espirituais que o protejam.

— Você pediu, e eles estão me protegendo. O espírito de Lauro tem me tirado do corpo. Tem sido maravilhoso! É uma sensação de prazer, de liberdade, que não consigo descrever-lhe. Só experimentando! Estou sendo privilegiado por ter a certeza de que a vida continua depois da morte! Tinha ouvido relatos das pessoas, mas, agora, eu vivi, experimentei! Você falava disso, mas precisei experimentar e hoje tenho a certeza de que é verdade! Estou certo de que vamos conseguir e que tudo vai ficar bem.

— Eu também estou confiante. Para quando será a ação?

— Logo.

Milena ficou em silêncio durante alguns segundos e depois disse baixinho:

— Eu amo você! Estarei vibrando por vocês!

— Sonho com o momento em que estaremos juntos para sempre.

— Fique com Deus!

— Amém.

Reinaldo desligou o telefone, e Zito, que havia se afastado para que o médico tivesse privacidade, aproximou-se, com os olhos brilhantes de emoção:

— Gostaria também de ter um amor como o que vejo em seus olhos. Mas minha vida tem tido outro objetivo.

— As coisas mudam. Sua hora vai chegar!

Zito ficou em silêncio durante alguns segundos e depois tornou:

— Quem sabe, depois de ficar livre dos compromissos, eu pense nisso! Por enquanto, preciso terminar o que comecei. Ainda tenho um longo caminho pela frente.

— Depois de resolver esse assunto, ficarei livre. Você não?

Zito fixou-o sério e depois respondeu com voz firme:

— Temos de nos fixar na ação que estamos preparando. Tudo tem de sair conforme planejamos. Vamos chamar os outros e rever tudo.

Todos reunidos, Zito conduziu o plano, fazendo com que cada um repetisse sua parte e falando sobre as possibilidades de surgir alguma surpresa.

Ele falou mais uma vez sobre os homens do doutor Borges e o que cada um faria para defesa do grupo.

Estava escurecendo, quando Reinaldo voltou ao hotel. Ele sentia certa ansiedade, pensando que em pouco tempo participaria da libertação de Estela. Sabia que precisava relaxar, confiar na vida, para obter sucesso nesse empreendimento. Disso dependiam todos os seus projetos de felicidade.

No dia seguinte, no fim da tarde, o grupo se reuniria para entrar em ação. O tempo ia custar a passar. Ele vira no salão do hotel uma estante cheia de livros e, depois do jantar, escolheu um que lhe pareceu bom, foi para o quarto e começou a ler.

Apesar de o assunto ser interessante, Reinaldo não conseguia fixar a atenção no que lia. Assim, fechou o livro e preferiu dar largas à imaginação, pensando em como seria sua vida ao lado de Milena. Foi então que conseguiu relaxar e adormeceu.

Na manhã do outro dia, para que o tempo passasse mais rápido, Reinaldo saiu, pensando em comprar alguma coisa para oferecer a Milena quando se encontrassem. Era-lhe agradável imaginar o reencontro, o prazer de estarem juntos e de realizarem todos os sonhos.

Na verdade, o que ele queria mesmo era continuar trabalhando na profissão, ter o amor de Milena e construir uma vida de progresso e paz.

À tarde, foi encontrar-se com o grupo, para rever todos os detalhes e se preparar para entrarem em ação naquela noite.

Anoiteceu e tudo estava em paz. As crianças estavam alegres, continuavam brincando de serem uma família e divertiam-se tanto que acabavam esquecendo-se de que aquilo se tratava apenas de uma brincadeira.

Milena tornara-se a mãe das duas crianças e sentia imenso prazer em cuidar dos dois irmãos. Ela dizia que Ernesto era o homem da casa e pedia sua opinião em tudo. Sentindo-se valorizado, o menino esforçava-se para colaborar.

Saudosa da mãe que não via há muito tempo, Cláudia apegara-se a Milena, chegando a esquecer que não eram parentes.

Até Elaine, que por fim escolhera representar o papel de tia, havia se humanizado mais, chegando a contar histórias e mesmo a tocar um pouco de piano, ensinando às crianças algumas canções que aprendera na adolescência.

Como todas as noites, após o jantar, as duas mulheres e as duas crianças se reuniam na sala, Elaine, que prometera a Estela reforçar os estudos de Ernesto, enquanto a mãe dos dois irmãos estivesse ausente, aproveitava para dar-lhe aulas, e Milena alfabetizava Cláudia, inventando histórias e brincadeiras.

Às dez horas, Milena serviu um chá com biscoitos às crianças. Depois, ela os auxiliou a escovar os dentes e a se preparar para dormir.

Uma vez na cama, Cláudia pediu que a moça contasse uma história de fadas. Milena, então, começou a narrar a história com graça, caprichando nos detalhes, e logo a menininha adormeceu.

Ernesto, inteligente e sensível, estava sem sono e aproveitou para esclarecer suas dúvidas quanto ao futuro. Ouvindo-a falar sobre sua relação com os espíritos, fez perguntas sobre a vida, a morte, inclusive sobre o que acontece depois dela.

Milena respondia a todas as perguntas do menino com naturalidade, pois esse era um assunto do qual ela entendia.

Elaine observava a cena em silêncio e, muitas vezes, ficava pensativa quando ouvia Milena falar com naturalidade sobre a eternidade, a manifestação dos espíritos e a vida em outras dimensões do universo.

A moça referia-se aos seus amigos espirituais de tal forma que as crianças expressaram vontade de conhecê-los pessoalmente. Certa noite, para satisfazê-los, ela desenhou o rosto dos dois, e as crianças adoraram.

Elaine observou o retrato admirada e comentou:

— Você deveria dedicar-se à arte! Eles parecem vivos!

Milena sorriu e respondeu:

— Acertou! Eles estão vivos mesmo. Só moram em outro lugar.

Elaine pensou um pouco e não respondeu. Apanhou um livro e começou a ler.

As crianças dormiram logo, e, depois de fazer sua ligação com seus amigos espirituais, Milena também adormeceu. Ninguém esperava pelo que aconteceria depois.

Eram duas horas da madrugada, quando Milena acordou assustada.

— Levante, vamos rápido!

Um homem forte, de meia-idade, estava do lado da cama.

— Quem é o senhor? O que está acontecendo? — disse ela abraçando as crianças que choravam assustadas.

— Cale a boca e trate de vestir os dois. Precisamos sair daqui imediatamente.

Trêmula, Milena perguntou:

— Por quê? O que houve?

— Faça o que estou mandando. E trate de mandar esses dois se calarem. É melhor me obedecer se quiser sair disso viva.

Milena apertou as crianças nos braços e disse baixinho:

— Fiquem quietinhos. Agora é preciso manter a calma. Vistam-se rápidos. Não temos muito tempo! Calma. Não chorem.

Em seu íntimo, Milena lembrou-se dos seus amigos espirituais, pediu socorro e sentiu a presença de Marcos Vinícius, que a aconselhava:

— Calma. Obedeça.

Abraçada às crianças, ela disse baixinho:

— Temos de obedecê-lo. Não chorem. Não vou deixar vocês um minuto sequer.

— Esse homem trabalha para meu avô — Ernesto disse baixinho.

Milena, rapidamente, pegou roupas para os três, levou os dois ao banheiro, vestiu-se e ajudou-os também, procurando acalmá-los.

O homem bateu na porta dizendo nervoso:

— Rápido! Não temos a noite toda! Vamos logo!

Decidida, ela saiu e, encarando-o, perguntou:

— Para onde vai nos levar?

— Obedeça! Quem dá as ordens aqui sou eu! Venha!

Milena segurou a mão das crianças e acompanhou o homem. Ao deixar o quarto, viu que Elaine estava na sala, amordaçada e com os braços amarrados.

O homem empurrou-os para fora da casa, onde um carro os esperava, e mandou que eles entrassem e se sentassem no banco de trás. Apesar do medo, Milena não se conteve e questionou:

— A tia não vai junto?

— Eu quero a minha tia! — pediu Ernesto, tentando reagir.

— Eu quero a tia... — disse Cláudia chorando aflita.

— Calem a boca! Parem com isso! Vão ter de me obedecer quietos.

Milena, abraçada às crianças, pediu que elas se calassem. O homem deu uma ordem ao motorista, e o carro saiu.

A noite estava escura, e, enquanto o automóvel seguia em velocidade, Milena pedia auxílio aos amigos espirituais, ainda abraçada às crianças.

A moça notara que havia outro carro, que saíra logo atrás deles. Estava escuro, e ela só conseguiu ver os dois homens sentados na parte dianteira do automóvel.

O coração de Milena bateu mais forte, ao sentir a presença do espírito de Marcos Vinícius.

— Tenha calma. Estamos aqui para ajudar.

Milena falou em pensamento: "Estou preocupada com Elaine. Ela ficou amarrada na casa...".

"Não se preocupe. Ela está no carro atrás", Marcos Vinícius respondeu por meio de pensamento.

"Para onde eles estão nos levando?", Milena indagou.

"Fique calma e confie. Há um avião esperando para levá-los de volta ao Brasil, à fazenda do doutor Borges", Marcos Vinícius tentou acalmá-la.

"O avô das crianças! Elaine corre perigo! Esse homem é malvado e deve estar com muita raiva dela."

"Fique calma. Coopere conosco, para obtermos o melhor. Acredite que o bem sempre vence. O mal só tem força quando o medo se instala. Imagine que, apesar das circunstâncias, esse homem é o avô das crianças e está sob o domínio da força do ódio. Não tem condições de perceber o mal que está fazendo à filha e aos netos, tentando separá-los. É uma situação difícil, cujas circunstâncias são imprevisíveis, porque refletem problemas de outras vidas, que estão reunindo agora todos os envolvidos para o desfecho", Marcos Vinícius explicou.

"Você não sabe o que vai acontecer?", Milena questionou.

"Eu acredito na sabedoria da vida, que ela só faz o melhor. Pense que todos os envolvidos serão beneficiados, colhendo o resultado do que plantaram. Confie. Todas as coisas irão para onde devem ir. A vida não erra!"

"Estou pensando em Elaine...", Milena retrucou reticente.

"É hora de ficar na confiança e na fé. Acredite. A vida sempre faz tudo certo. Acalme seu coração e fique em paz. Eu e Lauro estamos aqui. Mantenha sua paz!", Marcos Vinícius orientou.

Milena sentiu que um calor agradável os envolveu e percebeu que as crianças haviam adormecido. Emocionada, agradeceu aos amigos pela proteção recebida.

Pouco depois, o carro parou, e Milena notou que estavam em um campo. Ela viu também as luzes de um avião, que brilhavam na bruma da madrugada.

O outro carro parou atrás do veículo onde estavam, e ela viu que Elaine desceu. Ela não estava amarrada, mas um dos homens caminhava atrás dela empunhando uma arma.

Como as crianças estavam sonolentas, Milena pediu a Elaine que a ajudasse a levá-las. Enquanto a moça carregava Cláudia semiadormecida, Ernesto apoiava-se em Elaine.

Um homem desceu do avião e auxiliou-os a subir pelas escadas, enquanto outro acomodava as malas. O avião era pequeno. A tripulação era composta de três pessoas.

Além do piloto e seu auxiliar, que aparentavam mais idade, havia um rapaz mais jovem, que se apresentou:

— Meu nome é Pedro. Estou aqui para servi-los. Temos café, chá e sanduíches.

Amanhecia, e Milena e as crianças aceitaram o chá e alguns lanches. Os dois irmãos comeram com vontade. Ernesto fixou Milena e perguntou ansioso:

— Mamãe está nos esperando?

— Não sei. Acredito que estamos indo ao encontro do seu avô. Não sei se sua mãe estará lá — explicou Milena.

— Quando minha mãe vai chegar? — indagou Cláudia chorosa. — Estou com saudade dela!

Milena abraçou-a, tentando acalmá-la:

— Tenha paciência. Esse momento vai chegar.

— Eu queria que fosse logo...

Ernesto aduziu:

— Eu também! Ela é amorosa, gentil e muito linda!

Elaine olhava-os em silêncio. Tentava ser forte e não se envolver nas dificuldades daquela família.

Ela deixara a família muito cedo para estudar e tivera de aprender a cuidar de si mesma.

Seu pai era militar e a disciplina era mantida em casa. E sua mãe obedecia passivamente às ordens dele, obrigando-a a fazer o mesmo. Eram distantes, não se permitindo intimidades. E Elaine sentia-se melhor longe deles.

A convivência com Milena, sempre alegre, amorosa, verdadeira e útil, a princípio despertara em Elaine uma admiração, que, com o tempo, foi transformando-se em um sentimento de amizade sincera, que ela nunca tivera com ninguém antes.

Além disso, ela fora a tia, quando brincaram de ser da mesma família e, muitas vezes, assumindo esse papel, ela se sentira participante da vida das crianças.

Pouco depois, Pedro aproximou-se:

— Querem tomar alguma coisa?

As crianças pediram um suco, e Milena sorriu para Pedro e perguntou:

— Para onde estamos indo?

Ele ficou sério, pensou um pouco, e depois disse:

— É melhor perguntar para o copiloto. Se quiser, posso chamá-lo. O nome dele é Sérgio.

— Ele deve estar ocupado, e eu não quero incomodá-lo.

— Eu tenho ordem apenas para servi-los e estou proibido de responder qualquer pergunta.

Milena sorriu amável e, olho no olho, tornou com voz suave:

— Eu sei ler pensamentos. Vou lhe fazer uma só pergunta. Não precisa responder nada, mas eu saberei ler a resposta. Diga: estamos retornando para o Brasil, em especial para Minas Gerais?

Pedro arregalou os olhos, mas manteve-se em silêncio. Milena sorriu alegre e continuou:

— Obrigada, já descobri o que queria.

Encabulado, Pedro, ainda em silêncio, sentou-se no seu lugar. Elaine, que observara o diálogo calada, disse baixinho:

— Ele não disse nada. Pensei que ele fosse responder.

— Ele respondeu. Embora não quisesse, no momento em que ele ouviu a pergunta, pensou na resposta, e eu captei seu pensamento. Fique tranquila. Estamos indo para Minas Gerais. Imagino que seja para uma das fazendas do doutor Borges.

— Não dá para ficar tranquila. Se formos para lá, estaremos nas mãos do doutor Borges. E, se não formos, poderá nos acontecer algo pior. Se ao menos eu pudesse ligar para o Gilberto...

— Acalme-se. Meus amigos espirituais estão nos acompanhando nesta viagem. Estamos protegidos. Acredite.

Elaine suspirou, passou a mão pela testa, como se tentasse afastar certos pensamentos, e depois disse:

— Não sei o que é pior: os perigos de encontrar o doutor Borges, ou estar conversando com almas do outro mundo. Eu queria ficar no mundo real, com gente normal.

— Aí sim é que você estaria realmente em perigo. Um dia, você vai descobrir que a vida é muito mais do que parece ser. Que o mal é uma ilusão de quem acredita que ele é forte. A maioria das pessoas dá força para os outros e ignora a própria capacidade. Mas, um dia, cada um vai descobrir a própria força e vai saber que só conquistará a felicidade por meio do próprio esforço.

Elaine meneou a cabeça e retrucou:

— Que coisa mais sem senso. Isso é uma utopia. Nunca vai acontecer. Olhe em volta! Isso nunca vai mudar. O mundo é assim mesmo. Não se iluda. Você é jovem, sonhadora, ainda não viveu. Se tivesse visto o que eu já vi na minha profissão, entenderia a verdade.

Com a fisionomia distendida, Milena fixou-a e respondeu suavemente:

— As aparências enganam, Elaine. Meu mundo não se parece em nada com o que você disse. A vida, seja vivendo aqui neste mundo, como em outras dimensões do universo, tem muitas coisas boas a serem conquistadas. Mas é preciso querer assumir a própria vida e esforçar-se para ser uma pessoa melhor.

— Eu até gostaria que todas as pessoas fossem tão ingênuas como você, mas prefiro ficar com os pés no chão. Cuidado, o excesso de confiança é perigoso. Poderá levá-la à desilusão.

Milena sorriu e não respondeu. Cláudia pediu que ela contasse mais uma vez a história da Branca de Neve, e Ernesto comentou:

— Eu preferia que você contasse a história do dragão e do menino.

— Eu não quero o dragão, eu quero a história da Branca de Neve!

— Ernesto vai ler o livro do dragão, enquanto eu conto a história que você quer.

— Eu gosto quando você conta as histórias, porque representa os personagens! É muito diferente!

— Um de cada vez. Temos muito tempo para contar histórias. Sei de algumas que nunca lhes contei. Leia seu livro, enquanto faço o que ela quer.

Cláudia colocou o braço de Milena em volta de seus ombros, enquanto a moça começava a contar a história.

Capítulo 15

A noite estava escura, quando o avião pousou. As crianças dormiam, e Milena chamou-as dizendo:

— Chegamos. Vamos nos preparar para descer.

Um dos homens da tripulação abriu a porta dizendo mal-humorado:

— Esperem! Só vão descer quando eu mandar!

Ele abriu a porta e esperou que a escada fosse colocada para que pudesse ajustá-la. Depois, desceu e, fixando o rapaz que estava à sua frente, perguntou:

— Eu não conheço você! Onde está o João?

Nesse instante, surgiram dois homens empunhando armas e um disse com voz firme:

— Ponha as mãos para cima! Se reagir, morrerá!

— O que está acontecendo? Quem são vocês? Deve haver um engano...

— Não há engano nenhum! Podem amarrá-lo. Vou subir para pegar os outros.

Assim que ele entrou no avião, Elaine não se conteve:

— Zito! Que bom vê-lo!

Depois dos abraços, Pedro, pálido, encolheu-se num canto, tentando esconder-se.

— Aproxime-se, rapaz. Não tenha medo. Está tudo bem. Fomos nós que arranjamos este emprego para você.

Pedro aproximou-se devagar, e Zito continuou:

— Nós somos de paz. Venha, ajude-os a descerem do avião.

Ainda um pouco inseguro, Pedro auxiliou-os a descer as escadas. Dois carros os aguardavam mais à frente. Milena, Elaine e as crianças acomodaram-se no banco de trás de um dos veículos e Pedro seguiu no banco do passageiro.

— Eu vou com vocês. Esperem um instante — esclareceu Zito.

Ele se aproximou do outro carro, onde havia dois homens amarrados, e disse:

— Tudo bem. Vocês vão na frente e nós iremos atrás, conforme combinamos.

Zito entrou no carro, dizendo:

— Vocês estão cansados, mas agora é preciso que fiquem um pouco mais sob nossa proteção.

Elaine pediu:

— É melhor Pedro sentar atrás. Quero ficar na frente.

— Faça isso. Tudo está sob controle, mas cautela é sempre bom. Tem uma arma no porta-luvas, caso precise.

Abraçado a Milena, Ernesto perguntou:

— Estamos indo esperar minha mãe?

Foi Zito quem respondeu:

— Estamos no caminho.

— Eu quero minha mãe! Estou com saudades! — exclamou Cláudia chorosa.

Milena tentou consolá-la:

— Ela está a caminho. Vamos esperar sua mãe com alegria.

— Vai ser o dia mais alegre de minha vida! — exclamou Ernesto.

Os dois carros saíram, conforme Zito indicara: um levava os presos na frente e o outro, com Elaine, Milena e as crianças, seguia atrás. Vinte minutos depois, chegaram ao rancho, onde Zito organizara seu quartel-general.

A menos de dois quilômetros dali, ficava a fazenda dos Borges. Era lá onde Estela estava presa. Sabendo que seu pai havia capturado o grupo, ela temia que ele levasse seus filhos para longe e que ela nunca mais os encontraria.

Estela não era pessoa de fé, mas, naquele momento, muito aflita, ajoelhou-se e pediu a Deus que lhe desse a oportunidade de poder criar os filhos e ajudá-los a se tornarem pessoas de bem. Aos poucos, ela foi acalmando-se, até que, devido ao cansaço, finalmente adormeceu.

Pouco depois, abriu os olhos, levantou-se, olhou em volta, e viu seu corpo adormecido na cama, mas não se admirou. Aquilo lhe pareceu algo normal.

Foi então que ela viu um rapaz alto, de rosto moreno, cabelos dourados e olhos claros, se aproximar. Estela não se conteve e gritou:

— Geraldo! É você?

Ele sorriu e abraçou-a com alegria, dizendo:

— Ter você de novo nos meus braços é divino!

— Você está vivo?

— Sim. A morte é uma ilusão. Nosso espírito é eterno! Um dia, estaremos juntos novamente e ninguém poderá nos separar!

— Mas o Arnaldo atirou em você! Você não morreu? Eu nem pude ir ao seu enterro, mas meu pai me disse que você estava morto!

— Nós somos eternos, Estela. A morte não é o fim. Tudo continua. A princípio, eu sofri muito, porque não aceitei o que aconteceu, mas, depois, compreendi que naquele momento seu marido estava dentro dos costumes da sociedade e eu havia infringido a lei dos homens. Desde então, entendi o que aconteceu e aceitei pagar o preço da minha ignorância. Hoje, sei que temos toda a eternidade pela frente e que, um dia, quando a vida achar o momento certo e se você ainda me quiser, poderemos viver uma vida melhor e mais feliz.

— Durante todo esse tempo, eu nunca deixei de amar você! Ficarmos juntos seria a maior felicidade! Nunca imaginei que isso fosse possível.

— Venha comigo. Quero mostrar-lhe um pouco do que nos aguarda.

Geraldo passou o braço pela cintura de Estela e juntos atravessaram a parede e saíram volitando sobre a cidade adormecida. Ela sentia que seu peito se abria em uma alegria da qual nunca lembrava haver vivenciado e disse em êxtase:

— Se a morte é isso, eu gostaria de morrer agora!

— Na vida, as coisas não acontecem assim. Para tudo há uma ordem. Cada pessoa tem seu caminho. Mas sinto que nosso amor é verdadeiro e, nesse caso, tem tudo para dar certo. A questão é que, quando nos conhecemos, você já estava casada e não soubemos esperar o momento em que pudéssemos nos unir. Querendo apressar a vida, acabamos prolongando nossa separação.

— Meu amor por você continua igual, como no primeiro dia.

— Eu também a amo. É por isso que hoje eu vim até aqui. Para que você tenha paciência de esperar e entenda como as coisas são.

— Tenho me sentido muito só! Quero ficar com você agora. Não vou mais voltar para o corpo.

— Se fizer isso, ficaremos muito mais tempo separados.

— Nunca mais me interessei por outro homem e não gosto de viver só.

— Você não está só. Tem dois filhos que precisam do seu apoio. Hoje, eu sei que reencarnar na Terra é um privilégio que precisamos valorizar. Esquecer o passado nos permite recomeçar, experimentar situações novas, desenvolver a sensibilidade e perceber como as coisas são.

— Minha vida aqui tem sido só sofrimento! Estou cansada!

— Lamentar-se, olhar o lado pior, só vai atrair mais sofrimento. Não perca tempo com isso. Faça o oposto, vire o jogo. Acredite que a felicidade está dentro de sua alma e à sua disposição. Experimente cultivá-la, perceba o que a deixa bem, em paz. Mude sua vida e não se atormente com os problemas do mundo. A vida é mais do que isso. Não perca tempo! Vim aqui para dizer-lhe isso. Espero que me ouça e experimente. Você é uma mulher inteligente, forte. Está na hora de cuidar de si, desenvolver sua força e ficar bem.

— Ouvindo você falar essas coisas, sinto vontade de mudar, aprender, melhorar!

— Para isso, eu vim até aqui. Quero que aproveite sua chance agora. A vida está lhe oferecendo a oportunidade de aprender os segredos da felicidade e seguir adiante para uma vida melhor!

— Eu gostaria, mas como fazer isso?

— Cultivando o bem. A ignorância e a maldade fazem-nos acreditar que o mal é inevitável e forte, mas isso não é verdade. O mal não tem futuro. Ele só fica forte porque você o alimenta. Agora, está na hora de você voltar. Eu preciso ir embora.

Juntos, eles entraram no quarto, e Estela segurou as mãos de Geraldo, dizendo emocionada:

— Nunca vou esquecer esta noite! Saber que um dia poderemos nos unir e ser felizes me faz aceitar os anos de vida que estarei na Terra e me esforçar para vencer meus medos e minhas fraquezas. Isso faz também que eu seja uma pessoa melhor, mais alegre e mais feliz!

Geraldo abraçou-a com carinho, beijaram-se várias vezes, e depois ele disse:

— Tenho de ir. Não quero abusar, porque, assim, poderei conseguir permissão de voltar a vê-la. Fique na paz.

Ele auxiliou Estela a deitar-se sobre o corpo. Ela, então, suspirou, acomodou-se e adormeceu. Naquele momento, entrou no quarto uma mulher de meia-idade, pegou no braço dele e disse:

— Vim buscá-lo. Vamos embora.

Os dois se afastaram, e Estela virou para o lado e mergulhou em um sono sem sonhos.

Depois de algumas horas, assim que acordou, Estela sentou-se na cama, recordou-se do passeio e pensou: “Tudo isso teria acontecido de fato ou fora apenas um sonho?”

Ela estivera com Geraldo, e ele parecia estar mais vivo do que nunca. Suas palavras de amor e as possibilidades de viverem juntos para sempre no futuro fizeram-na antever momentos de felicidade, que existiam em seus sonhos desde a juventude.

Geraldo dissera-lhe que ainda teriam de esperar o momento certo e a aconselhara a esquecer o passado, cuidar de si, olhar a vida com alegria e viver em paz. Cuidar dos filhos, orientá-los, auxiliá-los a tornarem-se pessoas de bem. Pensando em tudo o que ele dissera, Estela sentia que esse seria seu caminho dali para frente.

Apesar dos acontecimentos, sempre lutara com unhas e dentes para poder ficar e cuidar dos filhos. O amor que sentia por eles dava-lhe forças para enfrentar todas as dificuldades criadas por seu pai.

Depois do que acontecera horas antes, sentia-se mais forte e capaz de vencer todos os problemas.

A porta do quarto abriu-se, e doutor Augusto Borges entrou. Com o rosto sério, fixou-a com raiva, e Estela sentiu um arrepio desagradável percorrer-lhe o corpo, mas levantou os ombros e encarou-o firme.

A um gesto de Augusto, dois homens entraram trazendo cordas, e ele ordenou:

— Sente-se na cadeira.

Estela não obedeceu, e ele continuou:

— Façam o serviço. Rápido.

Os dois, um de cada lado, a carregaram, e colocaram sobre uma cadeira. Depois, amarraram seus braços e pernas. Os olhos de Estela fixavam--no e ela mantinha sua cabeça erguida. Irritado, Augusto disse com raiva:

— Vou perguntar-lhe só uma vez. Se não falar agora, ficará sem falar por muito tempo! Onde estão meus netos? Para onde os levou?

— Eu não sei onde eles estão, mas se soubesse não lhe diria!

Augusto fixou-a durante alguns segundos e depois ordenou aos homens:

— Se quer ficar de boca fechada, o problema é seu. Passem a mordaça.

Um dos homens passou uma fita adesiva nos lábios de Estela. Augusto continuou:

— Você me obriga a chegar a esse ponto! A culpa é sua! Eu não queria chegar a isso. Mas foi você quem me forçou!

Augusto dispensou os dois homens, aproximou-se de Estela e disse sério:

— Você quer me vencer, mas eu sou mais forte! Quanto mais você resistir, mais sofrerá. E, no fim, terá de fazer o que eu quero.

Augusto saiu e fechou a porta à chave. Lágrimas desceram pelo rosto de Estela, enquanto ela rezava, pedindo a ajuda de Geraldo. Só ele poderia ouvi-la naquele momento.

Geraldo que havia voltado, estava lá, ao lado dela, e envolveu-a com carinho, dizendo palavras de amor ao seu ouvido. Embora ela não ouvisse suas palavras, sentiu a proximidade dele e pediu em pensamento: "Por favor, me ajude. Não me abandone!"

Comovido, Geraldo abraçou-a dizendo:

— Eu estou aqui! Fique calma. A ajuda está vindo. Logo isso vai passar. Acalme seu coração e confie. Estamos juntos. Acredite!

Estela ouviu o ruído de um carro afastando-se e pensou aflita: "Eles vão me deixar assim?"

Pouco depois, ela ouviu o barulho de uma chave, a porta abriu-se. Uma mulher entrou segurando uma bandeja com comida e aproximou-se dizendo:

— Calma, falta pouco.

Ela tirou a fita adesiva da boca de Estela, jogou-a no lixo e passou creme em seus lábios.

Estela respirou aliviada.

— Fique tranquila. Eles só voltarão mais tarde, e eu já cuidei do guarda que ficou. Está dormindo como um anjo!

A mulher colocou a bandeja sobre a mesinha e continuou:

— Trouxe um jantar caprichado e uma sobremesa, que era a especialidade de minha mãe.

— Obrigada pelo carinho, mas agora estou sem fome.

— Pense na alegria da liberdade e nas duas crianças que, neste momento, a estão esperando com amor! Zito mandou dizer-lhe que sua vitória está próxima. Logo virão buscá-la. Confie e se prepare para a fuga.

— Cuidado! Os capangas de meu pai são tão perversos como ele! Temo por você!

Ela deu de ombros e sorriu. Em seus olhos, havia um brilho maroto quando respondeu:

— Por que pensa que estou aqui? Tenho contas a ajustar com todos eles! Mas, vamos deixar isso de lado e tratar do que vai acontecer. Eles deixaram um homem de guarda, mas eu já tratei dele e está dormindo profundamente. Os outros dois deverão voltar só mais tarde. Zito mandou avisá-la de que, depois que confirmar a saída dos capangas, virá buscá-la e a levará ao encontro dos seus filhos. Em todo caso, neste envelope está uma fita igual à que eles usaram e vou deixar as cordas com duas amarrações, para prender braços e pernas, simulando o que eles fizeram. Não creio que eles venham, mas, caso haja alguma surpresa, você poderá simular estar do jeito que eles a deixaram, que nada mudou.

— Estou nervosa. Será que saberei fazer isso?

— Vamos experimentar. Veja como é fácil.

A mulher experimentou pôr em prática as instruções que dera a Estela e tudo funcionou de maneira perfeita.

— Outra coisa importante: quando Zito vier, vai arrombar a porta. Mas, se você ouvir o barulho de uma chave na fechadura, é porque um deles voltou. Nesse caso, simule estar presa. Agora tenho que ir. Não posso ser surpreendida aqui, mas ficarei escondida, vigiando.

Estela colocou a mão sobre a da mulher e agradeceu emocionada:

— Obrigada por estar arriscando sua vida para me ajudar. Deus a abençoe.

A mulher abraçou-a, sorriu e respondeu:

— Fique na paz!

Ela se afastou, e Estela tentou controlar a ansiedade, manter a calma, mas estava difícil. Sua vida estava dependendo do que iria acontecer nas horas a seguir.

Estela pensou em Geraldo e sentiu um calor agradável no peito. Se ao menos ela conseguisse vê-lo ou ouvir o que ele dizia!

Depois daquela visita, em que Geraldo lhe falara da eternidade, das possibilidades de conquistar uma felicidade que ela nunca imaginara, Estela sentia-se mais forte e com coragem para enfrentar tudo que viesse pela frente.

Estar livre, poder criar os filhos, prepará-los para que pudessem assumir a própria vida com coragem e lucidez e se tornarem pessoas de bem, era tudo com que ela sonhava. Era tudo que ela queria fazer nesta vida. Estela sentia que, durante esse processo, Geraldo estaria do seu lado, apoiando-a, auxiliando-a, até que ela pudesse ir encontrá-lo.

Pensando na alegria de abraçar os filhos, ela alimentou-se bem e sentiu-se mais forte. Depois, estirou-se na cama, tentando acalmar a ansiedade e notar qualquer ruído de alguém chegando.

Mas o tempo parecia não passar, pois só havia silêncio.

Quando Zito parou o carro, Reinaldo estava ansioso esperando-os. Ele abraçou Milena, que, feliz, se aninhou em seus braços esquecida de tudo. Beijaram-se, enquanto Cláudia puxava a manga do vestido da moça. Os dois a abraçaram também e puxaram Ernesto, que, emocionado, observava a cena.

Os quatro permaneceram abraçados, enquanto Elaine conversava com os demais integrantes do grupo, para inteirar-se dos detalhes.

Zito e seus homens tinham tudo preparado para libertar Estela e irem embora do lugar. Tudo estava sendo preparado com cuidado e a vigilância era contínua. Ninguém de fora poderia notar o movimento deles. Os homens, que faziam as compras na vila, iam separados, como se fossem trabalhadores de uma fazenda próxima.

A mulher que fora socorrer Estela fazia parte do grupo e relatou-lhes como a encontrara: amarrada e amordaçada. Ela pedira a Zito que antecipasse a libertação de Estela, mas ele sabia que precisava ter todo o cuidado, porquanto Augusto Borges, além de malvado, era sagaz e seus homens eram iguais a ele. Eram prepotentes, não tinham escrúpulos e gostavam de mostrar superioridade, jactando-se de suas maldades.

Zito informou a Elaine que marcara para libertar Estela naquela noite, por ter descoberto que doutor Borges estaria fora, o que facilitaria a ação. Estava tudo preparado.

Depois de ser libertada, Estela se encontraria com os filhos e juntos viajariam para um local secreto, onde permaneceriam durante algum tempo, até que o pai dela desistisse de procurá-los e eles pudessem seguir a vida em paz.

Para isso, tinham até passaportes com nomes falsos e tudo fora preparado para que não deixassem rastros.

Enquanto esperavam, Reinaldo, feliz, convencia Milena a se casarem assim que o caso fosse resolvido. Ela telefonara para os pais, informando-lhes que tudo estava bem e que, em breve, estariam de volta, para nunca mais se separarem.

Capítulo 16

Na propriedade onde o grupo estava abrigado, tudo estava pronto para o resgate de Estela. A mulher que estivera com ela entrou e Zito perguntou-lhe:

— E então, alguma novidade?

— Não. O doutor Borges não apareceu. Eu dei sonífero para um dos guardas mas há outros dois que saíram e vão voltar logo mais, armados, que estavam vigiando dona Estela.

— Falou com ela, explicou tudo?

— Sim. Combinamos tudo. Ela me pareceu mais animada. Alimentou-se bem e está ansiosa para ver os filhos.

— Tem certeza de que há apenas esses guardas que você viu? — indagou Elaine.

— Sim.

— Está bem. Pode voltar para seu trabalho na fazenda. Se houver alguma novidade, nos avise.

Zito pediu:

— Chamem todos.

Os dois vigias que estavam fora entraram, e Zito continuou:

— Dentro de poucos instantes, precisamente às onze horas, iniciaremos a ação. Cada um em seu posto e prontos para seguir o plano. Convém rememorar as providências a serem tomadas se formos surpreendidos por alguém de fora. Celina vai tossir. Se isso acontecer, Mário e Ademir vão impedi-los de agir e amarrá-los. Não se esqueçam da mordaça. Lembrem-se de que estaremos no terreno deles e que, no alojamento da fazenda, há muitos homens prontos para agir. Tudo terá de ser feito no mais absoluto silêncio. Entendido?

— Sim. Estamos bem preparados — respondeu Mário.

— Muito bem. Quanto a você, Elaine, cuide do casal e das crianças.

— Eu também quero ajudar — disse Reinaldo.

— Você é médico e fará muito mais acalmando Milena e as crianças. Esse será seu papel. Vocês vão permanecer aqui com Elaine e, se alguém do outro lado os surpreender, você terá que auxiliá-la.

— Eles não sabem que estamos aqui. Não há perigo — retrucou Reinaldo.

— Estamos muito próximos da fazenda, nunca se sabe o que poderá acontecer.

Milena fechou os olhos e disse com voz firme:

— Um amigo espiritual quer nos dar um breve recado — ela respirou fundo e continuou: — Meu nome é Geraldo. Vocês não me conhecem, mas sou ligado à Estela. Estou aqui para auxiliá-la, para que ela possa assumir seus filhos, educá-los, e para que, juntos, tenham uma vida de progresso e luz. Nossa causa é justa, e a vida lhes dará a recompensa pelo trabalho que estão fazendo. Deus os guie e abençoe seus passos.

Naquele momento, Reinaldo sentiu uma forte emoção e viu que, do alto, descia sobre todos eles uma luz muito branca, com delicados fios dourados em alguns pontos, e não se conteve:

— Sintam. Está descendo uma luz muito forte sobre nós... É a primeira vez que vejo isso.

A voz de Zito estava um pouco trêmula, quando ele disse:

— Eu não vi nada, mas senti que desta vez foi diferente e que a euforia que sempre tive antes de uma ação não apareceu. Estou disposto, mas calmo. Cada um no seu lugar. Está na hora. Elaine, você fica aqui com eles, para evitar surpresas.

Elaine concordou.

Todos do grupo estavam vestidos de preto e saíram.

— Eles vão trazer minha mãe? — perguntou Ernesto emocionado.

— Eu quero minha mãe! — pediu Cláudia.

Milena sentou-se no meio das crianças e disse:

— Venham. Vamos nos dar as mãos e pedir a Deus que tragam Estela de volta.

Na calada da noite, os homens do grupo que resgataria Estela foram cada um para seu posto. Enquanto Zito e dois homens seguiram cautelosamente para a fazenda, outros três espalharam-se pela retaguarda, prontos para agir se fosse o caso.

Celina, a copeira, desenhara o local onde Estela estava presa, e eles foram se aproximando. Tudo estava em silêncio.

Ao chegarem perto da porta do salão onde Estela estava, viram, embaixo de uma das janelas, um homem sentado no chão dormindo. Celina fizera bem o seu trabalho.

Estavam caminhando em direção à porta da frente, quando o ruído de um carro quebrou o silêncio, e eles se esconderam.

O veículo parou perto da casa e o doutor Borges desceu e se deparou com um de seus capatazes dormindo alcoolizado. Ficou furioso.

— Seu porco, safado! Vou acabar com você!

Augusto Borges deu um empurrão no homem, que se esparramou no chão, continuando a dormir.

Zito fez sinal para fazerem silêncio e esperou. Doutor Borges abriu o cadeado e entrou. Imediatamente, Zito aproximou-se da janela para ouvir o que ele dizia.

— E então, gostou de ficar amarrada como um cão danado?

Estela havia colocado o disfarce nas mãos e nas pernas, mas na boca, não.

— Quem tirou a fita de sua boca?

Estela não respondeu, e Augusto continuou:

— O que está esperando? Diga logo onde as crianças estão e acabaremos com isso de uma vez por todas!

Ela não respondeu, e ele, irritado, gritou:

— Responda, cadela! Eu sou seu pai, não tolero sua impertinência! Às vezes, tenho vontade de acabar logo com sua vida! Você vai falar!

Augusto Borges deu uma bofetada no rosto da filha e, nesse momento, Zito entrou, com dois homens, todos empunhando armas, e gritou:

— Pare ou eu atiro! Chegou a sua hora!

O susto deixou doutor Borges sem resposta. Imediatamente, enquanto Zito e os outros dois o amarravam em uma cadeira, Estela tirou os disfarces dos braços e das pernas e se levantou. Estava pálida.

Ela aproximou-se do pai e fixou-o séria. Vendo-a, ele tentou escapar:

— Eu sou seu pai! Como você deixou eles virem me espancar?

Ela voltou as costas e não respondeu. Estava cansada e só sentia por ele raiva e desprezo.

Zito fez sinal para os dois homens, que apontavam a arma para o doutor Borges:

— Fiquem firmes de olho nele! — e abraçou Estela dizendo: — Vamos sair daqui.

Assim que deixaram o galpão, ela perguntou ansiosa:

— As crianças estão bem?

— Sim. Estão esperando por você com Milena e Reinaldo, em um local próximo à fazenda. Nosso carro está escondido perto da entrada. Vamos.

— Graças a Deus!

Eles acomodaram-se no carro e gastaram menos de dez minutos para alcançar o esconderijo, mas, devido à sua ansiedade, para Estela o trajeto pareceu-lhe uma eternidade.

O carro parou diante do rancho, e ela saiu apressada, com o coração batendo descompassado. Um dos homens abriu a porta com cautela e, vendo-a com Zito, escancarou-a satisfeito.

Estela entrou no esconderijo, e Ernesto, recostado em uma poltrona, onde tentava dormir, abriu os olhos e exclamou:

— Mãe! Você veio!

Estela correu com os braços estendidos, e o garotinho, rapidamente, aninhou-se neles, enquanto ela o beijava. Ernesto soluçava emocionado. Cláudia, que dormia em um sofá, acordou e olhou em volta um pouco alheia. Estela, ainda abraçada ao filho, aproximou-se da menina dizendo:

— Filha, sou eu! Estou aqui!

Cláudia sentou-se ainda sonolenta e esfregou os olhos, tentando acordar. Os dois a abraçaram, e a menina exclamou alegre:

— Mamãe, é você mesmo? Não vai mais embora?

— Vim para ficar. Desta vez, é para sempre. Nunca mais nos separaremos.

Os três permaneceram abraçados, trocando carinhos, enquanto Milena e Reinaldo, emocionados e felizes, assistiam à cena.

Quando se acalmaram, Estela abraçou Milena, dizendo alegre:

— Eu sentia que você era a pessoa certa para cuidar dos meus filhos. Deus a abençoe por deixar sua família e seu namorado, para cuidar dos meus filhos e enfrentar a maldade de meu pai.

Reinaldo observava a cena emocionado. Estela o abraçou e continuou:

— E você, um médico, deixou tudo para nos apoiar. Nunca esquecerei o que fizeram por nós. Não sei ainda onde iremos morar, porque precisamos ir para um lugar no qual meu pai não possa nos prejudicar, mas vocês estarão sempre em meu coração. Onde estivermos, estaremos pedindo a Deus que lhes conceda toda a felicidade do mundo!

— Obrigado. E eu estou feliz por ter colaborado, de alguma forma, para esse desfecho. É um direito que a vida lhe deu!

Estela voltou-se para Zito:

— Vamos embora daqui, antes que os homens de meu pai nos impeçam.

— Acalme-se. Tudo está sob controle.

— Quero ir para um lugar distante, onde ele nunca possa nos descobrir.

— Doutor Gilberto já entrou na justiça com uma ação criminal contra o doutor Augusto Borges. Você é uma mulher livre, está lúcida e tem posses suficientes para cuidar de seus filhos. Diante do que ele fez para separá-los, você terá ganho de causa. Se ele interferir novamente, poderá até ser preso.

— Meu pai é prepotente e não vai aceitar perder. Estou certa de que ele fará tudo para nos perseguir e prejudicar. Quero sumir pelo mundo e ficar em paz.

Zito fixou-a e disse sério:

— Ele já sequestrou seus filhos uma vez. A melhor forma de agir será responsabilizá-lo por isso judicialmente, para impedir que ele tente de novo.

— Eu prefiro ir embora daqui o quanto antes. Só assim ficarei em paz.

— Mas antes, terá de voltar ao Rio, falar com doutor Gilberto, assinar alguns papéis para garantir que seu pai não os incomode mais.

Estela ficou pensativa durante alguns segundos e depois concordou:

— Está bem. Passaremos por lá. Agora vamos embora.

Zito meneou a cabeça negativamente:

— Não acho razoável sair daqui durante a noite. Embora estejamos no controle, precisamos ficar alertas e não dar oportunidade para que eles tentem algo. Não sabemos quantos homens há na fazenda. Um está desacordado e prendemos dois, mas pode haver outros. É melhor esperarmos e irmos embora quando amanhecer.

Estela pensou um pouco, suspirou e disse:

— Está bem. As crianças estão com muito sono e poderão descansar um pouco mais.

— Faça isso. Avisarei quando for a hora de partir. Podem dormir em paz. Estaremos vigiando o local.

Estela agradeceu e procurou acomodar as crianças. Depois, sentou-se ao lado de Milena e Reinaldo, falando de seus projetos de reprogramar a vida em paz.

Capítulo 17

Assim que o dia clareou, Estela acordou. Como todos ainda dormiam, ela aproveitou para separar os pertences de Ernesto e Cláudia. Com os olhos brilhantes de emoção, examinou as malas das crianças, suas roupas e objetos de uso, pensando que nunca mais se separariam.

Uma onda de alegria inundou sua alma, e Estela sentiu que, dali para frente, se dedicaria a educar os filhos e a ensiná-los a viver melhor, para que encontrassem o próprio caminho. Ela nunca tivera liberdade para fazer nada.

Alguns meses após seu nascimento, Estela fora enviada para um internato e, mais tarde, para colégios, onde seu pai a colocou desde que sua esposa o abandonara quando Estela tinha apenas alguns meses.

Ela nunca vira nenhuma foto da mãe. Sabia apenas que se chamava Marta e que morrera pouco tempo depois do seu nascimento. Doutor Augusto Borges, seu pai, a visitava de vez em quando, para informar-se sobre o andamento de seus estudos. Ele sempre fora um homem exigente.

Quando Estela completou dezesseis anos, doutor Borges acertou seu casamento com Arnaldo Mendonça, um homem muito rico de trinta e cinco anos.

Durante os dois meses de namoro, Arnaldo a visitava. Era sempre muito educado e a enchia de presentes. Estela, então, o aceitou, pensando que assim se libertaria do domínio do pai.

Depois de um ano de casamento, nasceu o primeiro filho do casal: Ernesto.

Arnaldo era um homem metódico. Tratava-a com respeito e dignidade, mas sem arroubos amorosos. Ele costumava frequentar a alta sociedade regularmente, com a finalidade de construir relações que favorecessem seus negócios, e não titubeava em usar a beleza e o brilho de sua mulher, que atraía a admiração dos homens e a inveja de outras mulheres, como um meio de realizar seu sucesso e ficar cada vez mais rico e poderoso.

Estela notava isso e esforçava-se para ser e parecer o mais natural possível, não colaborando em nada com o que o marido pretendia.

Dois anos depois do nascimento de Ernesto, o casal fora a um evento social muito importante. Um baile, no qual uma grande orquestra tocava e abrilhantava a noite.

Quando Estela entrou no salão onde acontecia o evento, um dos violinistas a fixou. Seus olhos se encontraram e o inesperado aconteceu.

De repente, ela sentiu um arrepio percorrer-lhe o corpo. Acompanhada do marido, Estela caminhou até a mesa, mas suas pernas estavam trêmulas. Ela, então, sentou-se e esforçou-se para recuperar a calma. De onde o conhecia?

A partir desse momento, Estela sentiu que os olhos do violinista a observavam e, durante todo o tempo, não conseguiu pensar em outra coisa. Emocionada, rosto afogueado, foi ao terraço pensando em livrar-se daquela emoção, mas, ao final da apresentação, o violinista deixou a orquestra e foi procurá-la.

Ele aproximou-se, fixou-a e perguntou:

— De onde nos conhecemos?

— Nós nunca nos vimos. Você está enganado.

— Sua presença me faz recordar de algo forte, que não consigo esquecer. Sinto que você me reconheceu.

Estela baixou os olhos, ficou pensativa e depois meneou a cabeça dizendo:

— Isso é uma loucura, não tem lógica. Não me lembro sequer de termos sido apresentados. É melhor eu ir embora. Meu marido poderá não gostar.

Estela afastou-se rapidamente, procurou por Arnaldo e pediu:

— Vamos embora. Não estou me sentindo bem.

Ela estava pálida, e Arnaldo, preocupado, mandou buscar o carro. Enquanto Estela esperava, um garçom aproximou-se e entregou-lhe um botão de rosa e um cartão onde estava escrito "Geraldo de Luca" e um número de telefone.

Emocionada, mas notando que o marido se aproximava, Estela guardou rapidamente o cartão e o botão de rosa na bolsa. Notando que os olhos de Geraldo estavam fixos nela, empalideceu com receio de que o marido percebesse algo.

Arnaldo notou a palidez da esposa e perguntou preocupado:

— Aconteceu alguma coisa?

— Estou cansada. Só quero ir para casa e descansar.

Durante o trajeto, Arnaldo insistiu para chamar um médico para examiná-la, mas ela não aceitou:

— Não estou doente, apenas cansada. Só preciso descansar.

A partir dessa noite, as coisas se precipitaram. Estela decidiu ligar para Geraldo, que pediu para marcarem um encontro, em que pudessem conversar e tentar entender o que estava acontecendo. Ela tentou resistir, mas acabou indo ao apartamento dele.

Assim que a viu entrar, Geraldo abraçou-a dizendo emocionado:

— Eu sabia que um dia a encontraria de novo. Era você que eu via em meus sonhos.

Estela esqueceu-se de tudo e entregou-se ao amor que sentia. Foi um deslumbramento.

A partir desse dia, sempre que podia, Estela ia ao apartamento de Geraldo. O desejo aumentava com o passar do tempo, e eles queriam mais.

Quando Estela ficou grávida de Cláudia, ambos sabiam que Geraldo era o pai. Um mês depois do nascimento da menina, os dois se encontraram para comemorar.

À distância, o violinista costumava ver a filha, que crescia saudável e linda. E ele, emocionado, notava nela os traços de sua família.

Depois de algum tempo, Arnaldo começou a notar algumas mudanças nos hábitos de Estela. Percebeu que a esposa estava diferente e que fazia o possível para evitar sua intimidade.

Quando ele exigia, notava que ela ficava insensível, ausente, querendo que ele acabasse logo. E Estela justificava sua atitude, explicando que não estava se sentindo bem, precisava descansar e não queria ter mais filhos.

Desconfiado, Arnaldo colocou uma pessoa para seguir sua esposa e descobriu que estava sendo traído. Ele não pensou duas vezes: comprou uma arma e, em uma noite, quando o violinista saía do ensaio, matou-o com dois tiros.

À polícia, Arnaldo justificou o crime dizendo que havia lavado sua honra.

Doutor Borges ficou furioso. Teve raiva da filha por ter sujado seu nome e do genro, que, em vez de lhe pedir conselhos, fez a besteira de acabar pessoalmente com o traidor. Se Arnaldo o tivesse procurado, ele teria dado cabo do músico sem que o nome da família fosse envolvido.

Por esse motivo, doutor Borges contratou um advogado não para defender o genro ou a filha, mas para vingar-se de ambos. Suspeitando que Cláudia fosse filha do músico, uma noite, ele sequestrou as crianças e mandou-as para um colégio interno.

Uma manhã, ao acordar e ir ver as crianças, Estela descobriu que elas haviam desaparecido. Abriu os armários e notou que duas malas e muitas peças de roupas faltavam. Não teve dúvida. Sentiu que seu pai era o responsável por aquilo.

Imediatamente, Estela foi ao encontro do pai e exigiu-lhe que trouxesse as crianças de volta. Doutor Borges não negou:

— Fui eu sim. Mandei-os para um lugar muito longe, e você nunca mais os verá.

— Você não tinha esse direito! Vou descobrir onde eles estão e os terei de volta. Você ainda vai se arrepender por ter feito isso! Vai pagar muito caro!

Augusto Borges deu uma gargalhada e respondeu, petulante:

— Eu sou poderoso! Vou deserdá-la e nunca os encontrará.

Estela fixou-o séria:

— Deus vai me ajudar a encontrá-los!

Ele meneou a cabeça, deu de ombros e saiu.

Estela pensou, pensou, e resolveu ir até o Rio de Janeiro, em busca de um bom advogado. Lá, ninguém a conhecia, e seu pai não poderia interferir em seus planos.

Chegando à cidade, ela instalou-se em um hotel. Precisava encontrar o melhor advogado de todos. Alguém que tivesse coragem de enfrentar seu pai e pudesse ajudá-la de fato. Pretendia entrar na justiça e ter seus filhos de volta.

Estela começou sua procura, contatando alguns advogados, mas não gostou de nada do que ouviu. Depois, lembrou-se de que o doutor Gilberto conseguira inverter o caso, fazendo seu marido ser preso. Ele seria a pessoa certa para auxiliá-la.

Foi ao escritório dele pedir-lhe ajuda. Doutor Gilberto aceitou a causa e conseguiu não só convencer Milena a auxiliá-los, como acabou contando com a ajuda de Reinaldo, que se juntou a eles por sentir que o motivo era justo.

Doutor Gilberto começou a trabalhar no caso e decidiu procurar Elaine, para auxiliá-los. Ela fora colega dele na faculdade e tornara-se uma grande amiga.

Ademais, Elaine trabalhava para o serviço secreto dos Estados Unidos e, além de inteligente, era uma pessoa muito séria. Foi ela que, valendo-se de suas amizades, conseguiu descobrir onde o doutor Borges internara as crianças.

Na noite em que Elaine interveio e tirou as crianças do colégio interno, doutor Borges ficou sabendo e, imediatamente, sequestrou Estela e prendeu-a na fazenda, impedindo-a de ir encontrar os filhos e pressionando-a de todas as formas para que ela contasse onde as crianças estavam.

Todas essas lembranças passavam pela mente de Estela e ela só pensava em ir embora com os filhos para bem longe, onde seu pai não pudesse encontrá-los.

Pouco depois, enquanto todos tomavam o café da manhã, Zito apareceu para falar com Estela.

Na véspera, ele conversara com doutor Gilberto, que não concordava com o que Estela queria fazer. O certo seria entrar na justiça, para que a verdade aparecesse, e fazer doutor Augusto Borges ser responsabilizado judicialmente por suas atitudes. Só assim eles poderiam viver em paz.

Estela pensou um pouco, mas estava cansada e sem paciência para remexer naquela situação e acusar o próprio pai.

— Eu só quero viver minha vida ao lado dos meus filhos. Nada mais. É o que vou fazer.

Milena fixou-a e perguntou com voz calma:

— Quem é Marta?

Estela fixou-a surpreendida e exclamou:

— Minha mãe, que morreu quando eu era ainda bebê!

A voz de Milena mudou, quando ela disse emocionada:

— Filha! Finalmente posso falar com você!

Estela encarou-a e exclamou:

— Mãe, é você?

— Sim, filha. Sou eu. Vim para pedir que ouça o doutor Gilberto e faça o que ele recomenda.

— Eu não quero ver meu pai nunca mais.

— Se fugir, ele a perseguirá de todas as formas. Para ter paz, você precisa libertar-se do assédio dele. Você tem todos os direitos sobre seus filhos! Enfrente-o sem medo! Nós a ajudaremos a ganhar essa luta!

Lágrimas desciam pela face de Estela, quando desabafou:

— Você foi embora, me abandonou! Por que não me levou com você?

— Era o que eu mais queria, mas não consegui. Fui escorraçada da vida de forma violenta. Em meu desespero, ao acordar do outro lado, eu odiei seu pai, quis me vingar e tudo fiz para atingi-lo, mas ele foi mais forte do que eu. Augusto sabe odiar com mais força, e eu perdi essa guerra. Fui ficando pior. O desânimo e a tristeza tomaram conta de mim. Quis desaparecer da vida, mas nem isso eu consegui. A morte não me libertou. Sem forças, fui recolhida por um grupo de enfermeiras, que me levou para um hospital no astral, onde fui tratada com amor e respeito. Lá, ensinaram-me a ver as coisas do jeito que são. Então, aos poucos, fui me recuperando. Eu queria procurá-la, tentar ampará-la de alguma forma, mas não obtive autorização.

Meus orientadores disseram que, naquele momento, eu precisava de um tratamento para me equilibrar. Só então poderia vê-la.

— Eu nunca soube de nada disso! Você continua viva!

— Sim. A morte não é o fim. A vida continua! Hoje eu sei disso! Ainda estou em tratamento, mas permitiram que eu viesse até aqui para dar este recado: você só terá paz, se enfrentar seu pai na justiça dos homens! Ele não entende outra linguagem. Tenha coragem. Diga que fará isso!

— Ele nunca foi um pai. Sempre foi um carrasco. Eu não quero mais ter nenhuma ligação com ele!

— Reaja! Você tem o direito de defesa! Use-o! As leis da justiça existem para disciplinar a sociedade. Augusto será impedido de continuar a tramar contra sua paz, e você poderá usufruir de uma vida mais calma ao lado de seus filhos.

Pensativa, Estela baixou a cabeça durante alguns segundos e depois prometeu:

— Vou tentar. Eu não queria mais ter contato com ele. Vai ser difícil suportar essa guerra.

— A justiça humana vai protegê-la, e ele a deixará em paz. Mas você terá de fazer sua parte. Renove sua vida. Deixe o passado passar. Entregue seu pai aos cuidados da vida. Ela tem meios de ensinar tudo que ele precisa aprender. Nenhuma ovelha do rebanho se perderá! Um dia, Augusto também aprenderá, se tornará uma pessoa melhor e será feliz!

— Não sei se serei capaz de perdoá-lo.

— Meus amigos e protetores estarão do seu lado, auxiliando-a. Estou certa de que você vai conseguir! Estou pedindo às forças superiores que a protejam e fortaleçam. Tenho de ir... Fique com Deus!

Milena estendeu as mãos sobre a testa de Estela, sorriu levemente e sussurrou:

— Deus a abençoe!

Estela sentiu que uma energia suave e agradável a envolvia e suspirou dizendo:

— Só uma mãe pode dar tanto amor! Obrigada, Milena, por ter me proporcionado esse encontro!

— Pense bem no que vai fazer!

— Depois do que minha mãe disse, farei o que ela quer.

— Que bom! Você vai vencer e ficar livre de uma vez.

Havia certa tristeza na voz de Estela, quando ela disse:

— É só isso que eu quero agora. Criar meus filhos, educá-los e viver em paz.

Milena fixou-a com carinho e tornou com voz suave:

— O tempo passa depressa e um dia todos estarão reunidos.

Estela estremeceu e perguntou:

— Você também lê pensamentos?

Milena sorriu alegre e respondeu:

— Tudo passa e se renova. É bom pensar sempre no melhor.

Reinaldo entrou, aproximou-se de Milena e abraçou-a, dizendo alegre:

— Logo tudo isso estará resolvido e poderemos cuidar dos nossos projetos.

Estela fixou-os comovida:

— Vocês serão muito felizes! Quisera eu ter tido essa chance!

— O tempo passa depressa, e um dia você e Geraldo estarão juntos novamente. O amor une as pessoas.

Os olhos de Estela brilharam, quando ela respondeu:

— Desta vez, saberemos esperar. Agora, quero resolver todos os meus compromissos com meus filhos e orientá-los para que sejam livres e felizes.

— Tenho certeza de que você será uma excelente mãe.

Zito aproximou-se de Estela e falou:

— Doutor Gilberto ligou e pediu para avisar-lhe que a está esperando no escritório, para assinar a procuração o quanto antes. Vamos para o Rio de Janeiro.

Reinaldo abraçou Milena sorrindo:

— Vamos voltar pra casa e cuidar dos nossos projetos!

— Estou com saudade dos meus pais! Que bom.

— Vamos marcar a data do nosso casamento. É hora de retomarmos nossa vida! — exclamou Reinaldo.

— Vou ligar para minha mãe e dar a notícia!

— Primeiro, vou ver as passagens e depois você poderá ligar e informar a data certa que chegaremos.

Compradas as passagens para a manhã seguinte, Milena começou a arrumar as malas, preparando-se para a viagem. Tudo era calmo e o ambiente de alegria os deixava confiantes.

Augusto Borges continuava amarrado e vigiado pelos homens de Zito. Doutor Gilberto entrara na justiça com um pedido de prisão para ele, por ter sequestrado os netos e a filha.

Zito pediu a Nelson, seu homem de confiança, que fosse até a cidade próxima para saber se o mandado de prisão já chegara e indicar ao delegado onde deveria buscar doutor Borges.

Só depois que tudo já estivesse resolvido e o pai de Estela estivesse preso, eles poderiam voltar para casa.

Passava das nove horas da noite, quando Nelson voltou de Uberlândia e informou que o mandado de prisão só chegaria nas primeiras horas da manhã seguinte. Assim, eles poderiam ir buscar doutor Borges.

Zito mandou que seus homens ficassem atentos e, se percebessem, durante a noite, algum movimento diferente, que fossem avisá-lo imediatamente.

Todos estavam alegres, desejando que a noite passasse logo para que pudessem voltar para casa em paz.

Milena e Reinaldo faziam planos para o futuro, e Estela, feliz na companhia dos filhos, sonhava com uma vida calma, em que pudesse acompanhar o progresso das crianças, ensinando-as a tornarem--se pessoas de bem.

Tudo estava calmo e em silêncio na fazenda. Dessa forma, ninguém poderia imaginar o que aconteceria logo em seguida.

De repente, ouviu-se um barulho forte na porta da frente. Vários homens entraram, com armas em punho, tendo Augusto Borges à frente.

Assustadas, as crianças começaram a chorar. Estela, pálida, agarrou-se aos filhos, tentando protegê-los, enquanto Reinaldo, abraçado a Milena, procurava entender o que estava acontecendo.

Augusto Borges deu uma gargalhada e gritou:

— Vocês pensaram que tinham vencido? Ninguém nunca conseguiu me derrotar. Vocês agora terão de fazer o que eu quiser!

Abraçada aos filhos, Estela gritou nervosa:

— A polícia vai chegar, e você vai acabar seus dias na cadeia, que é o seu lugar!

— Você não sabe de nada mesmo! Eu sou o dono da situação! Se eu quiser, nenhum de vocês sairá vivo deste lugar. Eu posso tudo! Eu sou poderoso! Você é uma filha ingrata, adúltera, que só me cobriu de vergonha. Não vale nada.

Nesse momento, Milena libertou-se dos braços de Reinaldo e posicionou-se diante de doutor Borges. Com os olhos arregalados e fixos nele, gritou com voz firme:

— Você não vai fazer com minha filha o mesmo que fez comigo! Chegou a sua hora!

— Saia da minha frente! Não conheço você! Como teve coragem de me enfrentar?

— Olhe pra mim. Eu sou Marta! Lembra-se do que fez comigo? Chegou a hora de pagar por tudo que você fez! Eu não estou sozinha. Há um exército de pessoas que você infelicitou e está aqui exigindo vingança!

Augusto Borges estremeceu, empalideceu e gritou, nervoso:

— Você está morta! Voltou do inferno para se vingar! Saia da minha frente, senão eu atiro!

A mão com a qual doutor Borges segurava a arma começou a tremer, então ele tentou usar as duas, mas elas afrouxaram e o revólver caiu no chão. O corpo dele tremia e ele gritava apavorado:

— Atirem neles, atirem, vamos... Eles querem me matar!

Um dos homens de doutor Borges, que estava armado e posicionado logo atrás, gritou nervoso:

— Ele está sendo tomado pelo diabo! Eu não fico mais aqui! — e saiu correndo, como se estivesse sendo perseguido por uma multidão.

Outro homem gritou:

— Eu não tenho medo, não acredito em espírito! Vou atirar para acabar com isso.

Mas a arma saiu de sua mão como se alguém a houvesse arrancado e foi parar longe. Assustado, ele olhou em volta e saiu correndo da casa. Os outros sumiram atrás dele.

Parado e com os olhos arregalados, Augusto Borges balbuciava palavras desconexas e parecia ter perdido a razão. Reinaldo segurou o braço dele, que não reagiu. Fê-lo sentar-se, apanhou as cordas que estavam no chão e amarrou-o bem. Enquanto isso, doutor Borges continuava alheio a tudo.

Reinaldo apanhou a arma do chão e apontou--a para ele, que não demonstrou qualquer reação. Pálida, Estela tentava acalmar as crianças e dizia que tudo havia passado.

Reinaldo disse:

— Penso que eles não voltarão, mas preciso sair e ver por que Zito e seus homens não apareceram.

— Tome cuidado! Pode ser uma cilada! — tornou Estela nervosa.

— Sei o que estou fazendo. Não se preocupem.

Reinaldo saiu, e Milena pediu:

— É hora de confiar na vida. Ela sabe o que fazer para que cada coisa volte ao seu lugar. Vamos nos ligar com Deus e esperar o melhor acontecer!

Capítulo 18

Reinaldo saiu da casa, olhou em volta e não viu ninguém. Tudo estava em silêncio. Segurando a arma, começou a caminhar lentamente pela estrada, apurando os ouvidos.

Ao aproximar-se do local onde Zito normalmente reunia o pessoal, sentiu o cheiro de algo queimando, apressou o passo e viu que havia fogo nas janelas. Assustado, ele olhou em volta procurando alguma coisa para apagar as chamas. Não encontrando, foi até a porta que estava trancada com cadeado.

Reinaldo avistou mais à frente uma pilha de lenha. De forma rápida, foi até lá, apanhou uma que lhe pareceu melhor e tentou arrebentar a madeira em volta do cadeado. Estava difícil, e ele retornou ao monte de lenha, em busca de algo mais pesado.

Foi então que ele viu que, atrás do monte, havia uma enxada. Rapidamente, voltou à porta do barracão, ouviu vozes lá dentro e reconheceu as de Zito e de Nelson. Gritou o mais alto que pôde:

— Afastem-se da porta! Estou tentando abrir.

A enxada era velha e não deu resultado. Reinaldo, então, abriu o tambor da arma que carregava e viu que havia duas balas. Decidido, disse num tom de voz elevado:

— Sou eu, Reinaldo. Não se assustem. Vou atirar para abrir a porta! Afastem-se bem.

Ele atirou, e o cadeado espatifou-se, arrancando um pedaço de madeira junto. Reinaldo entrou na casa e viu que Zito e seus quatro homens estavam amarrados. Primeiro liberou Zito, que, por sua vez, o auxiliou a soltar os outros.

Todos saíram tossindo muito e afastaram-se rapidamente do local, enquanto o fogo crescia devorando tudo. Estavam sujos, com os olhos vermelhos, mas felizes.

Assim que se distanciaram o suficiente da casa em chamas, Zito abraçou Reinaldo dizendo alegre:

— Você insistiu em fazer parte do nosso grupo e acabou sendo a nossa salvação. Como estão os outros? Onde está o doutor Augusto Borges?

— Calma. Tudo está sob controle. No momento, vocês precisam de um banho. Depois, vou examiná-los e daremos um jeito de voltarmos à civilização. Chegou o momento de resolver essa história.

Ao vê-los chegarem sujos, cheios de fuligem e com os olhos vermelhos, as mulheres se assustaram, e Reinaldo disse rindo:

— Não se impressionem. Eles estão bem. Só precisam de um banho!

Zito fixou-as e comentou emocionado:

— Reinaldo salvou nossas vidas. Se ele não tivesse ido nos procurar, estaríamos mortos. Ele é o nosso herói.

Reinaldo sorriu e disse em tom de brincadeira:

— E você não queria que eu fizesse parte do grupo!

— Estou muito arrependido de ter subestimado sua capacidade. Aprendi uma grande lição com isso.

— Mas, agora, vou fazer a minha parte como médico. Terão de me obedecer. Peço que tomem um bom banho, para que eu possa examiná-los.

Fixando-o, Zito perguntou:

— E o doutor Borges, fugiu?

— Vamos olhar no depósito ao lado.

Todos o acompanharam e viram que Augusto Borges estava amarrado a uma cadeira, mas fora de si.

Admirado, Zito questionou:

— Ele está dopado? Você deu-lhe algum remédio?

— Não foi preciso. A vida encarregou-se de cuidar dele.

— O que vamos fazer agora? Ele não vai poder responder por seus atos.

— Será que essa já não foi uma boa resposta?

— Talvez ele esteja fingindo, para escapar da lei. Esse homem é capaz de tudo.

— Ele não aceitou a situação, teve uma convulsão provocada por uma crise emocional e pode ter sofrido alguma lesão cerebral. Mas só vamos saber, se fizermos os devidos exames.

— Você vai cuidar dele?

— É o meu dever como médico, mas ele tem a filha e os netos. Eles é que decidirão o que fazer a respeito. Agora, vamos tomar um banho, para tirar esse cheiro de fumaça. Depois, precisamos nos reunir para decidir quais serão as próximas providências.

— Tem razão. Ainda temos de resolver esse caso, e você irá nos ajudar.

— Eu já fiz a minha parte. Você decide o que é melhor — tornou Reinaldo.

— Acha que vou assumir isso sozinho? Vamos conversar, e todos darão suas opiniões.

Zito foi o primeiro a ir tomar banho no cercado, onde haviam improvisado um chuveiro. A água estava fria, mas, apesar disso, ele sentiu-se aliviado por livrar-se do cheiro da fumaça e da fuligem.

Um dos homens entregou-lhe uma toalha, e ele enrolou-se e correu para dentro da casa. Depois, procurou uma roupa para vestir, uma vez que a sua tinha se rasgado e chamuscado no incêndio.

Envergonhado diante das mulheres que o olhavam curiosas, Zito foi para um dos quartos da casa, abriu o armário, procurando algo para cobrir o corpo. Lá, havia algumas roupas dos empregados da fazenda. Eram grosseiras, mas ele escolheu uma e a vestiu.

Vendo-o chegar um pouco tímido diante da situação, Reinaldo disse sério:

— Não se preocupe. Nossa intenção é ir embora daqui logo. Elaine foi até a cidade próxima procurar o delegado, para contar-lhe o ocorrido e pedir-lhe ajuda. Teremos de esperar que ela volte. Depois do que houve aqui, não poderemos ir embora sem procurar a polícia.

Os quatro homens que trabalhavam com Zito surgiram já limpos, mas todos vestidos com as roupas dos empregados da fazenda. Vendo-os entrar, ele disse:

— Temos de verificar toda a área. Os homens do doutor Borges fugiram, mas podem voltar para tentar libertar o patrão, ou até para saquear a propriedade. Alguns deles são conhecidos e temidos na cidade próxima daqui, por serem suspeitos de alguns assaltos e crimes. Enquanto estivermos aqui, teremos de ficar vigilantes. Não sabemos o que passa pela cabeça desses homens.

Celina aproximou-se de Zito:

— É preciso ir à vila comprar alimentos. Alguns estão acabando.

— Está bem. Faça a lista, e eu pedirei para Pedro ir buscar. Nelson, reúna os homens, pois precisamos nos proteger.

Apesar da situação tensa, todos estavam calmos e dispostos a colaborar. Estela, na companhia das crianças, falava sobre o futuro.

Depois que ela concordara em responsabilizar legalmente o pai pelo que ele fizera, ela desejava que aquele caso fosse resolvido logo, para que pudesse, enfim, viver com seus filhos. Seu ex-marido continuava preso e, segundo o advogado a informara, cumpriria, pelo menos, metade da pena. Mas isso não a preocupava.

Arnaldo estava com o orgulho ferido e mostrara claramente durante o julgamento o quanto desprezava Estela por tê-lo traído, insistindo, durante o processo, em perguntar a ela quando seu relacionamento com Geraldo começara de fato. Não tendo conseguido esclarecer esse assunto, preferira a acreditar que ambas as crianças não eram suas.

Estela contribuiu para que Arnaldo continuasse a pensar assim, para evitar que, quando fosse solto, ele tentasse relacionar-se com as crianças. Dessa forma, ela ficaria livre para viver com seus filhos e educá-los do jeito que queria.

Todos queriam ir embora o quanto antes dali, mas Zito achou prudente esperar o delegado chegar com o mandado de prisão para levar doutor Augusto Borges. Só assim, poderiam ir embora com segurança.

Estela ligou para o doutor Gilberto, para informá-lo sobre os últimos acontecimentos e prometeu procurá-lo assim que chegassem ao Rio de Janeiro.

Às dez horas da manhã seguinte, quando o delegado chegou na companhia de Elaine, trazendo o mandado de prisão do doutor Borges, todos já estavam prontos para ir embora.

Elaine aproveitou o momento para despedir-se do grupo. Abraçando Milena emocionada, disse:

— Quando a vi, tive a certeza de que poderia confiar no sucesso dessa ação. Não foi fácil, mas deu tudo certo.

— Durante o tempo que moramos na Filadélfia, vivendo como uma família, você revelou seu lado amoroso e alegre. Soube ser a tia amiga e colaborar. Eu não tinha experiência em lidar com crianças, e você me ajudou muito nisso!

— A troca foi boa. Eu era muito cética, e você me ensinou a ter fé. Isso me fez muito bem.

Depois que Augusto Borges foi levado para a cidade em uma ambulância, Elaine despediu-se de todos e saiu com o delegado.

Zito dispôs-se a acompanhar os que ficaram até Uberlândia. De lá, partiriam para o Rio de Janeiro, no voo das dezenove horas.

Milena, Estela, as crianças e Reinaldo aproveitaram o tempo de espera para comprarem alguns objetos pessoais e algumas lembranças para os familiares.

Zito acompanhou-os ao aeroporto, satisfeito por ter colaborado para o desfecho do caso. Depois de se despedir de todos, abraçou Reinaldo dizendo comovido:

— Você salvou minha vida. Confesso-lhe que tive muito medo e imaginei que fosse morrer queimado! Mas houve um instante em que me lembrei das palavras de Milena sobre a eternidade da vida e pedi a ajuda de Deus! Foi, então, que você surgiu armado e nos salvou. Estou certo de que ela sabe das coisas.

— Eu também! Assim que a vi, soube que queria ficar com ela para sempre!

— Vocês serão muito felizes! Obrigado por tudo.

Milena ligou para o pai, que, emocionado, combinou de ir esperá-los no aeroporto. Ela e Reinaldo estavam felizes e não cansavam de fazer projetos para o futuro.

No aeroporto, Gerson e Joana aguardavam Milena com ansiedade. Assim que a viram chegar, uniram-se em um emocionado abraço.

Reinaldo, com os olhos úmidos, juntou-se a eles. Estela, olhos brilhantes, aproximou-se. Milena apresentou-a aos pais, enquanto Ernesto os observava sério.

Cláudia agarrou-se ao braço de Milena:

— Fique comigo, não vá embora! Você é minha mãe do coração!

Milena abraçou a garotinha com carinho:

— E você sempre será minha filha!

Em seguida, Milena puxou Ernesto e os três se abraçaram emocionados. Estela, que observava a cena, não se conteve e juntou-se a eles no mesmo abraço. E assim permaneceram durante alguns minutos.

— Nunca esquecerei o que você fez por nós! — tornou Estela e continuou: — Não sei ainda onde iremos viver depois que tudo isso terminar. Mas, seja onde for, sinto que nossa amizade continuará para sempre.

Reinaldo interveio:

— Em breve, vamos nos casar e fazemos questão de sua presença.

— Terei o maior prazer de abraçá-los nesse dia. Ainda não pude expressar o quanto o admiro. Você deixou tudo e se dedicou em nos ajudar. Foi um herói, que arriscou a própria vida para salvar Zito e seus homens.

— Eu não corri nenhum risco. Estava do lado de fora da casa e com uma arma na mão.

Estela sentiu a presença de Geraldo e disse emocionada:

— Você correu risco sim! Agiu sem saber se havia algum dos capangas de meu pai vigiando o local. Certamente, você foi protegido por um anjo bom!

Milena interveio:

— Um anjo que tem muito interesse em protegê-la!

Os olhos de Estela brilharam e ela perguntou:

— Será quem estou pensando?

Milena sorriu:

— Pergunte ao seu coração.

— Sei que foram seus amigos espirituais que trouxeram Geraldo para me visitar naquela noite, enquanto meu corpo dormia. Pudemos nos abraçar e conversar. Ele prometeu ficar ao meu lado e me auxiliar a cuidar das crianças, até o momento em que poderei ir encontrá-lo. Quando chegar essa hora, faremos tudo para que possamos ficar juntos. Agora, eu estou livre.

Reinaldo fixou-a sério:

— Estela, precisamos conversar sobre a doença de seu pai. Ainda não foram feitos todos os exames necessários, mas posso adiantar-lhe que o caso é grave e não tem volta.

Estela suspirou, pensou um pouco e disse triste:

— Depois do que ele fez, não consigo pensar nele como pai.

— Augusto Borges está acabado, Estela. Nunca mais terá como gerir a própria vida e a fortuna que possui. É você quem terá de fazê-lo.

— Eu não quero nada dele.

— A herança é de seus filhos. Você terá de assumi-la. Com esse dinheiro, poderá dar-lhes uma vida boa e pagar os estudos das crianças. Além disso, é bom lembrar-se de que seu pai agora também é uma criança doente, que precisa de amparo.

Milena respondeu com voz suave:

— Ele ainda não sabe dar amor, mas lembre-se de que lhe deu a chance de nascer neste mundo. Todos nós temos pontos fracos, mas nosso espírito é eterno. No fim, todos vamos evoluir, aprender e conquistar a sabedoria. O momento é de compaixão, entendimento e paz. Vamos compreender e acreditar no futuro. Dias melhores virão!

As lágrimas desciam pela face de Estela, que abraçou Milena dizendo com voz embargada:

— Tem razão. Este é um momento de paz, no qual estamos vendo uma possibilidade de viver melhor. É hora de agradecer, não de julgar.

Milena e Estela permaneceram abraçadas durante alguns segundos. As duas crianças juntaram-se a elas, e Milena disse séria:

— Estela, eu não concordo com o que você quer fazer.

— Como assim? Não estou entendendo.

— Por que quer afastar-se de nós? Eu também sou mãe desses dois e, se você for para longe, vou sentir muitas saudades! Por que não fica aqui, no Rio de Janeiro? Esta cidade é uma das mais lindas do mundo. Olhe em volta e sinta o quanto amamos este país!

Estela fixou-a pensativa e respondeu em seguida:

— Eu não tinha pensado nisso. Sempre desejei ficar longe do meu pai e ir para o outro lado do mundo.

— Mas agora você não precisa mais fazer isso — tornou Reinaldo. — As coisas mudaram!

— Este é o nosso país! Apesar dos problemas que circulam à nossa volta, este é o lugar onde a vida nos colocou. Um lugar cujo povo é bom, amoroso, e sabe levar a vida com prazer. Quando você olha em volta, sempre encontra alguém sorrindo e cantando com alegria!

— Com tantos problemas para enfrentar, eu só queria ir para longe, como se a distância tivesse o dom de me separar deles. Até agora, não me situei na nova realidade.

Milena abraçou-a com carinho:

— Tudo isso passou. Está em suas mãos o comando de sua família. Terá três filhos para cuidar. Enquanto os dois menores poderão, um dia, assumir as próprias vidas, o mais velho continuará dependente do seu carinho. Está tudo certo. A vida sempre sabe o que faz!

Estela suspirou, pensou um pouco e tornou:

— Eu também amo nosso país! Vocês têm razão! Não há motivo para vivermos longe daqui. As coisas mudaram. Estamos começando uma nova vida. Você e Reinaldo deixaram seus interesses de lado, para que eu pudesse realizar meu maior sonho: levar uma vida digna e feliz ao lado dos meus filhos.

As crianças correram para abraçá-la:

— Que bom! — exclamou Cláudia abraçando Milena.

Ernesto juntou-se a elas, dizendo alegre:

— Nós formamos uma família de verdade!

Reinaldo adotou um ar sério ao dizer:

— De certa forma, vocês dois são também nossos filhos. Prometo que vou estar sempre presente na vida de vocês. Vamos ter de conversar bastante!

— Pena que você não sabe contar histórias de fadas... — reclamou Cláudia.

— Mas ele sabe contar boas histórias de bichos e de aventuras de que eu gosto muito! — protestou Ernesto.

— Além de boas histórias, nós vamos cuidar dos estudos de vocês. Está na hora de irem para a escola.

— A Elaine me deu algumas aulas — comentou Ernesto.

Estela interveio:

— Estamos no Rio. Em breve, tratarei desse assunto. Vocês verão como é bom aprender e saber fazer as coisas com facilidade e inteligência. O mundo está mudando, e a ciência, a cada dia, descobre novos caminhos, para nos ajudar a viver melhor.

— Vocês devem estar cansados. Vamos para minha casa.

Estela esclareceu:

— Agradeço o carinho, mas já tenho uma reserva no hotel.

Milena interveio:

— Eles devem ter preparado uma festa para nós, com muito amor. Nossa casa é simples, confortável e há lugar para todos.

— Isso mesmo! — disse Joana sorrindo. — Rezei muito para que tudo desse certo e Milena voltasse logo para casa. É hora de comemorar! A Nena fez aquele bolo de chocolate que Milena adora e ela está nos esperando ansiosa em casa!

Reinaldo disse sorrindo:

— Eu não perderia esse bolo da Nena! Vamos embora!

Gerson reforçou alegre:

— A casa é grande. Vocês podem ficar morando lá toda a vida, se quiserem.

— É muita gentileza sua. Está nos meus planos comprar uma boa casa aqui no Rio — Estela tornou.

— Tenho muitos amigos. Gente de confiança, que poderá ajudá-la a procurar uma casa e fazer um bom negócio.

— Meu pai é ótimo para isso! É a pessoa certa para auxiliá-la! — exclamou Milena.

Gerson auxiliou-os a pegar a bagagem e, na saída, já havia dois carros os esperando com motorista. Eles cuidaram da bagagem, enquanto o grupo se dividia nos veículos.

Ao descerem do carro e entrarem no jardim da bela casa, sentiram um perfume agradável de jasmim e olharam em volta com admiração. Os canteiros estavam floridos, e eles respiraram com prazer.

Nena apareceu e, com os olhos brilhantes, abraçou Milena, que se emocionou ao sentir o quanto ela a queria bem.

O momento era de alegria. Ao ser apresentada a Estela, Nena disse sensibilizada:

— Graças a Deus a senhora conseguiu ficar com seus filhos! Rezei muito para que isso acontecesse. Sei o que significa fazer parte de uma família! Aqui, eu encontrei amor, apoio, e aprendi muitas coisas boas.

Estela abraçou-a com carinho, dizendo emocionada:

— Minha mãe morreu pouco tempo depois que eu nasci. Sofri muito sua falta. O que eu mais quero nesta vida é poder viver com meus filhos, viver esse amor que sinto sempre que eles me abraçam e vejo o brilho em seus olhinhos amorosos! Minha solidão acabou!

Depois de conversarem um pouco, Nena levou Estela para uma das suítes:

— Estou aqui para ajudá-la em tudo o que precisar. A senhora deve estar cansada, mas antes é melhor comerem alguma coisa. Há um lanche na copa e as crianças devem estar com fome.

— Obrigada. Iremos em seguida.

As crianças estavam entusiasmadas e queriam descer logo para brincar no quintal. Lavaram as mãos e desceram.

Milena e Reinaldo já estavam sentados à mesa, servindo-se de café com leite. As crianças preferiram se fartar com o bolo de chocolate, que estava delicioso.

Quando terminaram de comer, sentiram sono, mas a curiosidade ainda era mais forte que o cansaço. Eles queriam sair, conhecer melhor a cidade, mas Estela não concordou:

— Antes, vamos descansar um pouco, para refazer as energias. Nós vamos morar aqui, no Rio. Temos todo o tempo do mundo para conhecer a cidade. Esqueceram?

Depois que eles foram para o quarto, Reinaldo levantou-se dizendo para Milena:

— Agora, você vai descansar. Antes de ir para casa, vou passar no hospital. Amanhã cedo, pretendo voltar ao trabalho.

Milena abraçou-o com carinho:

— Vou sentir sua falta!

Ele beijou-a diversas vezes e tornou:

— Está difícil ficar longe de você! Amanhã, quando eu vier, vamos conversar com seus pais e marcar a data do nosso casamento.

— É o que eu mais quero!

Gerson saiu para fazer compras, mas tinha deixado o carro com motorista à disposição. Reinaldo despediu-se de Joana, e Milena acompanhou-o até o veículo, onde o motorista já havia colocado a bagagem dele.

O casal trocou mais um beijo. Reinaldo, então, entrou no carro, acomodou-se ao lado do motorista, e Milena ficou acenando até o veículo desaparecer na esquina.

Ao entrar em casa, Milena notou que Joana estava triste e a abraçou dizendo:

— Mãe, eu estou muito feliz! Eu e Reinaldo vamos ser muito felizes!

— Reinaldo estava falando em comprar uma casa. Ele não precisa gastar esse dinheiro! Esta casa é muito grande! Por que vocês não vêm morar aqui?

— Quando vocês se casaram, foram morar sozinhos.

— Na verdade, nós não tínhamos dinheiro para casar. Fugimos e fomos morar juntos. Só nos casamos, quando tivemos dinheiro para pagar as despesas do cartório.

— Você nunca me contou isso!

— Eu tinha vergonha...

Milena beijou-a na face e respondeu:

— Você encontrou o amor de sua vida e não perdeu tempo. Deixou de lado as convenções do mundo e casou-se com ele do jeito que deu. E, pelo que sei, nenhum dos dois se arrependeu! Eu tenho muito orgulho de ter nascido de vocês!

— É verdade! Eu tive muita sorte de ter me casado com Gerson! Eu estava triste, porque você vai sair de casa, mas eu fiz a mesma coisa. A vida é assim, e eu não vou mais ficar triste por isso.

— A vida tem sabedoria e sempre faz tudo certo! Nunca se esqueça disso! Eu estou com sono, vou subir e descansar um pouco.

Uma vez no quarto, Milena fechou as janelas, tirou os sapatos e estendeu-se na cama. Pouco depois, adormeceu.

Epílogo

Na tarde seguinte, quando a campainha tocou, Nena foi atender. Um rapaz entregou-lhe um ramo de rosas vermelhas, primorosamente arrumado, no qual havia um cartão com o nome de Milena.

Comovida com a beleza das flores, Nena imediatamente foi entregá-las dizendo alegre:

— Chegou para você, Milena!

A moça apanhou o cartão e leu:

Esta noite irei falar com seus pais, para marcarmos a data do nosso casamento. Beijos, Reinaldo.

Milena aspirou deliciada o perfume das flores e arrumou-as em um vaso de cristal, pensando em colocá-las em seu quarto. Mas, ao lembrar-se de que Reinaldo faria o pedido oficial de casamento na sala, decidiu deixar as flores lá.

Joana estava no jardim, e Milena apressou--se a procurá-la.

— Mãe, Reinaldo mandou flores e um cartão, avisando que virá esta noite falar com vocês, para marcarmos a data do nosso casamento.

Joana fixou-a pensativa durante alguns segundos, sorriu e comentou alegre:

— Eu sabia que ele não ia demorar para marcar a data!

Gerson chegou de surpresa e, vendo-as conversando, aproximou-se. Em seguida, beijou-as levemente na face:

— Estou sentindo que tem alguma coisa nova no ar. O que é?

Milena apressou-se a contar emocionada:

— Esta noite, Reinaldo virá até aqui para conversar com vocês e marcar a data do nosso casamento!

Joana comentou:

— Eu sabia que ele estava tramando levar Milena embora o quanto antes!

Os olhos de Gerson brilharam emocionados:

— É a vida. O tempo passa, as coisas mudam, mas sei que será para melhor! Milena tem luz própria! Depois que ela surgiu, nossa vida melhorou. Estou certo de que o mérito é dela! Por onde passa, ela ilumina tudo!

Comovida, Milena beijou o pai na face dizendo:

— Pai, tenho muito orgulho de ter nascido de vocês dois! São os melhores pais do mundo!

Milena puxou a mãe pelo braço, e os três permaneceram abraçados durante alguns minutos. Joana reagiu e tornou:

— Esta noite merece uma comemoração! Vamos fazer as honras do momento e nos preparar para celebrar a ocasião à altura!

— Eu posso ajudá-la! O que vamos fazer?

— Você vai ficar noiva! Tem de se arrumar para a ocasião. Eu e Nena vamos cuidar de tudo.

— Mas eu quero ver vocês muito elegantes!

— Eu vou estrear aquele vestido lindo que você me deu no aniversário! — exclamou Nena sorrindo.

— Faça isso. Aliás, faz tempo que eu tenho notado aquele rapaz moreno da padaria derreter-se todo quando vê você!

Nena ficou vermelha e respondeu encabulada:

— Imagine! Ele é sócio da padaria. Não vai se interessar por mim.

Milena colocou a mão no braço de Nena, fixou seus olhos e afirmou séria:

— Pois eu notei que ele a admira. Mas quero saber: você gosta dele?

Nena baixou a cabeça e não respondeu. Joana puxou Gerson pelo braço, dizendo:

— Venha, vamos para a cozinha planejar o que fazer.

Os dois saíram. Milena levantou o queixo de Nena e perguntou novamente com calma:

— Você gosta dele?

— É um sonho impossível! Ele é uma pessoa que venceu na vida, e eu não tenho nada!

— Como você é ingrata, Nena! Sempre a vi como uma irmã. Pensei que se sentisse feliz em nossa casa. Nossos pais sempre nos deram tudo!

— Ingrata? Vocês são tudo que eu tenho nesta vida! Eu os amo. Agradeço a Deus por ter sido amparada pelos seus pais.

Milena encarou-a supresa. As lágrimas começaram a descer pelo rosto de Nena em profusão. Milena abraçou-a com carinho durante alguns segundos e, aos poucos, ela foi acalmando-se.

Quando Nena parou de chorar, Milena, olho no olho, disse séria:

— Estamos juntas, desde que eu era muito pequena. Você é minha irmã de verdade! Se não somos irmãs de sangue, somos irmãs de alma. Nossos laços de amor são verdadeiros e nos acompanharão para sempre!

— Não sei o que teria sido de mim, se não tivesse encontrado vocês!

— Minha mãe estaria triste por não ter tido mais filhos, e eu não teria a quem confiar meus segredos. Você é minha irmã de verdade e faz parte da família. Só nasceu de outra pessoa, porque minha mãe só quis ter uma filha. Você veio ao mundo antes de mim para ajudá-la em tudo, como sempre fez, e para dar muito amor a todos nós! Nunca se esqueça disso!

Milena alisou os cabelos de Nena com carinho, e ela foi acalmando-se. Depois, fixou-a e esboçou um leve sorriso.

Milena continuou:

— Está na hora de pensar em você. De cuidar do seu futuro.

— Eu estou muito bem e quero ficar aqui para sempre.

— Você terminou o ginásio e não quis estudar mais, Nena.

— Eu não sou tão inteligente como você.

— Isso não é verdade. Você é rápida, despachada, muito mais esperta do que eu. Deveria continuar os estudos e fazer uma faculdade.

— Eu gostaria de fazer outras coisas.

— Fazer o quê, por exemplo?

— Saber fazer pratos especiais, desses que as pessoas comem saboreando. Doces e bolos confeitados, que parecem obras de arte.

Milena olhou-a surpresa:

— Por que nunca me disse isso?

Nena deu de ombros:

— Porque ainda não sei se seria capaz de fazer todas essas coisas.

Milena sorriu maliciosa e comentou:

— Será que isso tem a ver com o dono da padaria?

— Eu não vou falar mais nada para você!

Milena abraçou-a dizendo séria:

— Você é muito boa na cozinha. Tudo que faz é gostoso. Por que não tenta se especializar nisso? Amanhã mesmo, vamos procurar uma escola boa para você aprender tudo o que quiser.

— Será que seus pais não vão ficar aborrecidos?

— Claro que não! Eles vão adorar. Vamos ver isso o quanto antes. Venha comigo.

Milena abraçou Nena e juntas foram para a cozinha.

— Mãe, a Nena está com vontade de aprender a fazer bolos e doces.

— Ela não precisa aprender nada! Já sabe fazer bolos muito bem.

— O que ela quer é fazer aqueles bolos enfeitados, de confeitaria!

Gerson fixou-as admirado:

— Que ideia boa! Eu ajudarei em tudo que precisar!

Joana fixou-a:

— Você leva jeito para isso. Seus bolos são muito gostosos! Estou certa de que será uma excelente profissional.

— É que esses cursos são caros... Além disso, não sei se conseguiria aprender...

— Eu pagarei os cursos com prazer. Você precisa pensar no seu futuro — interveio Gerson.

Milena disse alegre:

— Amanhã mesmo, vamos procurar uma boa escola.

Gerson pensou alguns instantes e depois considerou:

— Há algum tempo, venho pensando em aumentar nossos negócios. Abrir uma loja fina, com coisas especiais, saborosas, mas diferente de tudo que já foi feito! Quando você se formar, vamos ser sócios. Eu entro com o dinheiro, e você com o trabalho. Os lucros serão divididos meio a meio.

— Não acho justo. Eu aceito que pague os cursos, mas será a título de empréstimo. À medida que for ganhando dinheiro com o trabalho, pagarei o senhor aos poucos.

Milena interveio:

— E você pretende ir trabalhar para os outros? Meu pai está lhe oferecendo a chance de crescer e ser independente!

— Eu não quero ser independente. Aconteça o que acontecer, eu nunca irei embora daqui. Esta é minha família!

Milena abraçou-a:

— Ser independente é ganhar o próprio dinheiro com o seu trabalho e isso é muito prazeroso. É uma sensação de liberdade e prazer. Você pode continuar morando aqui pelo resto da vida!

— Está resolvido. Trate de procurar uma boa escola e começar a aprender! — tornou Gerson satisfeito. — Agora, vamos nos preparar para esta noite.

— O que vocês estão pensando em fazer? — indagou Milena.

Joana devolveu:

— O que você gostaria que fizéssemos?

— Um bom vinho e alguns petiscos será suficiente.

— Seria melhor fazermos um jantar! — interveio Joana.

— Ele disse que virá às nove. É melhor que façam algo mais leve.

Nena abraçou Milena dizendo:

— Você é a noiva. Vá descansar que nós resolveremos isso!

Eram nove e meia da noite, quando Reinaldo chegou. Gerson recebeu-o satisfeito. Enquanto Nena ia avisar Milena, Joana foi dar-lhe as boas-vindas.

Os olhos de Reinaldo brilharam quando Milena surgiu, linda em um vestido cor de prata, que destacava a perfeição de seu corpo. Como único enfeite, ela usava os brincos de pequenas rosas vermelhas, que, para eles, tinham um significado especial e combinavam com a pele morena e o verde dos olhos da moça.

Reinaldo aproximou-se emocionado, beijou-a delicadamente nos lábios e elogiou:

— Você está linda!

Gerson e Joana se aproximaram, e, depois dos cumprimentos, Reinaldo fixou-os sério:

— Vim para conversar com vocês e marcar a data do nosso casamento.

— Milena nos contou. Estamos à disposição. Sente-se, por favor.

Gerson indicou-lhe o sofá. Joana sentou-se ao lado de Milena, e Gerson acomodou-se na poltrona lateral.

— Esta noite, estou duplamente feliz. Numa tarde, uma chuva inesperada e forte nos fez buscar abrigo em uma loja. Ao olhar para Milena, senti, pela primeira vez na minha vida, que havia encontrado a mulher com a qual eu gostaria de ficar pelo resto de minha existência. A vida tem seus caminhos, e tivemos de passar por momentos difíceis antes, para que pudéssemos ficar livres e conseguíssemos realizar nossos sonhos.

Joana sorriu e disse emocionada:

— Felizmente, deu tudo certo. Agora, vocês poderão realizar o que desejam. Nós estamos felizes, mesmo sabendo que Milena terá de deixar nossa casa. Vamos nos lembrar sempre dos momentos felizes que vivemos juntos. Nossa filha nos trouxe luz e deu sentido à nossa vida. Estou certa de que vocês dois serão muito felizes.

Os olhos de Reinaldo brilharam, quando ele respondeu emocionado:

— Tenho certeza disso. Mas, apesar dos momentos de preocupação e insegurança que vivenciamos, sinto que fui presenteado pela vida, porque aprendi muito nesse período.

Reinaldo fez uma ligeira pausa e, vendo que todos o estavam ouvindo com atenção, continuou:

— Durante esses anos, em que trabalhei como médico, alguns pacientes me contaram suas experiências de quase morte, quando ficaram fora do corpo e visitaram outras dimensões do universo. Eu ouvi muitos desses relatos, mas tinha dúvidas e resistia a acreditar neles. Milena, com naturalidade, deu-me muitas provas da eternidade e da intervenção dos espíritos em nosso dia a dia. Nos momentos difíceis, eles estiveram por perto, nos aconselhando a ter calma, nos prevenindo de alguns acontecimentos e nos envolvendo com energias de paz.

Joana não se conteve:

— Milena sempre teve essa ajuda. Antes de nossa filha nascer, Gerson, apesar de ser trabalhador, estava desempregado. Nossa vida, na época, estava difícil. Quando Milena nasceu, tudo mudou. Ele teve boas ideias, fez coisas que nunca tinha feito antes, e nossa vida mudou para melhor!

— É verdade! Quando ela era pequena, costumava ver e falar com os espíritos, e nós ficávamos preocupados com isso. Fomos conversar com dona Áurea, e ela nos acalmou, falando sobre espiritualidade. Depois disso, passamos a frequentar o centro. Estudamos e aprendemos que a vida continua depois da morte e que somos eternos.

Milena interveio:

— Dona Áurea é uma mulher especial. Quando eu entrei na adolescência, minha sensibilidade se abriu. Eu não tinha comando ainda e muitas vezes era invadida por espíritos necessitados, que me pediam ajuda. Por essa razão, eu sentia os problemas deles e ficava mal. Minha mãe me levava ao centro todas as semanas para que eu passasse por um tratamento espiritual e aprendesse a lidar com as energias dos outros, que estão à nossa volta.

— Você era muito criança. Eu ia junto, mas, aos poucos, você foi melhorando. Recentemente, quando ficamos preocupados por não termos notícias suas, fomos várias vezes procurar dona Áurea, que se concentrava e nos dizia que estava tudo bem. Ela nos pedia que, todas as noites, pensássemos em você, a mentalizássemos muito alegre e feliz, e mandássemos energias de amor e de paz. Enquanto você estava fora, eu fazia isso todas as noites — tornou Joana.

— Antes de nossa filha nascer, quando Joana me contou que ela lhe aparecera durante o sono e dissera que se chamava Milena, eu tive a certeza de que Deus estava cuidando de nós. Foi Ele quem me inspirou a fazer os primeiros sanduíches e deu tudo certo. Depois, quando dona Áurea falava dos espíritos, eu sentia que era verdade.

Reinaldo não se conteve:

— Estou muito honrado e feliz por fazer parte de sua família. Sempre que venho aqui, sinto-me acolhido, à vontade, como se essa fosse a minha casa. Meus pais sempre moraram em São Paulo e são pessoas de bem. Têm uma empresa e sempre me proporcionaram uma vida boa. Apoiaram-me, e eu pude estudar o que quis. Sou grato a tudo que fizeram por mim, mas, para ser sincero, nunca senti que fazia parte da vida deles. Minha maneira de pensar e de ver as coisas sempre foi muito diferente, mas eu respeito isso. Eles, como eu, têm o direito de escolher como desejam viver.

Reinaldo ficou calado durante alguns segundos e, vendo que todos o ouviam com atenção, continuou:

— Eu sinto que meu caminho é outro. Tenho um irmão de sangue, com o qual nunca me senti ligado. Às vezes, eu tentava me aproximar dele, mas ele não correspondia e eu desisti. Passei a manter com minha família um relacionamento respeitoso. Se precisarem de algo, estou disposto a fazer o melhor que puder.

A emoção fez a voz de Reinaldo tremer um pouco, quando ele continuou:

— Mas foi aqui, com vocês, nesta família, que encontrei o que sempre desejei e nunca tive. Tenho a certeza de que, para conseguir esse prêmio, foi preciso saber primeiro que a vida continua, evoluir um pouco mais, entender e valorizar as coisas. Assim, pude merecer uma vida melhor e estar com vocês.

Milena abraçou-o emocionada:

— Eu me recordo de que, no momento em que ia reencarnar, senti muito medo. Pedi aos meus amigos espirituais que prorrogassem o prazo, porque eu precisaria estudar um pouco mais e preparar-me, para poder lidar com as energias do mundo e não fracassar. Mas eles não aceitaram, e eu mergulhei naquele corpo e nasci. Agora, no entanto, eu sinto que foi aqui, no aconchego dos meus pais e com o apoio dos amigos espirituais, que tudo aconteceu para melhor.

Milena ficou em silêncio durante alguns segundos. Havia um brilho de alegria em seus olhos, quando ela continuou:

— Hoje, sou muito mais forte do que antes. Sinto que a vida neste mundo pode ser muito boa, quando a pessoa se esforça para aprender e quando faz sua parte. A vida dispõe tudo a nosso favor. O passado foi esquecido, e temos uma página em branco para aprender coisas novas. Ganhamos um cérebro virgem, no qual os pais introduzem os valores da vida. Na adolescência, nós estudamos, melhoramos nossos conhecimentos, tomamos posições, vivenciamos experiências e descobrimos como a vida funciona. Assim, vamos evoluindo cada dia mais. A vida não erra e sempre faz tudo certo e para melhor.

Reinaldo beijou levemente a testa de Milena, dizendo:

— É por isso que me sinto tão bem em estar aqui. Minha alma sente que suas palavras são verdadeiras, e estou disposto a cooperar para que juntos, e nos apoiando mutuamente, possamos desfrutar uma vida melhor, cheia de amor e paz. Que tal marcarmos a data do nosso casamento para daqui a um mês?

— É muito pouco. O cartório pede mais tempo. Além disso, esse casamento precisa ser comemorado à altura. Gostaria de fazer uma grande festa — explicou Gerson.

— Eu prefiro que, em nosso casamento, estejam presentes apenas a família e as pessoas que amamos. Quero reunir nesse dia os que compartilham da nossa felicidade. A amizade verdadeira é luz em nosso caminho — Milena tornou.

— Eu penso como você, Milena. Amanhã mesmo o doutor Gilberto dará entrada nos papéis, e depois iremos visitar alguns imóveis e escolher onde vamos morar.

— Acha que dará tempo para tudo isso? — quis saber Joana.

Milena abraçou-a e sorriu dizendo:

— Prometo-lhe não ir morar muito longe daqui. Gosto do nosso bairro. Além do mais, não é muito distante do hospital onde Reinaldo trabalha.

O ambiente era agradável. E, enquanto degustavam o vinho e os petiscos, eles continuaram conversando e fazendo planos para o futuro.

Nena observava a cena alegre, pensando nas coisas que faria para o casamento de Milena. Ela já conhecia uma conceituada escola de culinária e, estimulada pela família, pensava em ir até lá para matricular-se. Queria aprender a fazer algo para que pudesse homenagear Milena.

Cada um, com seus sonhos e receios diante das mudanças que aconteceriam na família, sugeria ideias, querendo encontrar o melhor caminho.

Passava da uma da manhã, quando Reinaldo, tendo programado algumas coisas para aquele dia, se despediu de todos.

Milena acompanhou-o até o jardim, e, de mãos dadas e felizes, os noivos programaram o que fariam dali para frente.

Estava difícil para Reinaldo despedir-se e ir embora. Ele abraçou Milena e a beijou várias vezes. Em seguida, disse emocionado:

— O tempo vai demorar a passar.

— Mas vai chegar o dia em que você nunca mais precisará ir embora.

Depois de trocarem mais alguns beijos, Milena disse:

— Você precisa ir, descansar. Amanhã, retornarei ao trabalho, e, no fim de semana, teremos muitas coisas para fazer.

Custosamente, ele conseguiu deixá-la ir. Assim que entrou em casa, Milena foi para o quarto. Enquanto se preparava para dormir, ficou imaginando como seria sua vida ao lado de Reinaldo. Estava calma, feliz e em paz.

Milena deitou-se e agradeceu a Deus por tê-la protegido e lhe dado a chance de realizar seus sonhos de felicidade. A moça lembrou-se de Lauro e Josias, seus amigos espirituais, e agradeceu-lhes a proteção e o carinho. Logo depois, adormeceu.

Os dois estavam lá, comovidos com a gratidão que ela manifestara. Ambos elevaram o pensamento, sentindo o quanto a amavam. Do peito de ambos saíam ondas de luz coloridas, que envolviam Milena, enquanto ela, nesse momento, deixava o corpo adormecido e ia abraçá-los com carinho.

Os três ficaram abraçados durante alguns segundos, e depois Lauro disse alegre:

— Lembra que você, na hora de nascer, queria desistir? Se eu não fosse firme, você teria ido embora.

— Eu senti muito medo. O esquecimento e a força da matéria nos iludem, invertendo tudo. Eu sei que morrer é voltar para casa, encontrar os amigos, os parentes, é uma festa. Mas nascer, por incrível que pareça, é muito difícil. É complicado ter de mergulhar no corpo, esquecer tudo e ficar sem poder comandar as atitudes, viver na dependência dos pais por determinado tempo. Há alguns que, na boa intenção, obrigam os filhos a fazerem tudo do jeito deles. É aterrador. Mas, agora, sinto que fui privilegiada por ter tido os melhores pais do mundo! Sou feliz e agradeço a vocês por terem me empurrado no momento certo!

Os olhos de Lauro brilharam emocionados e ele convidou:

— Vamos dar uma volta, renovar nossas energias e sentir a grandeza da vida.

Milena, abraçada aos dois, atravessou a janela do quarto e juntos saíram volitando. Ela sentiu no peito um prazer muito grande e uma alegria indescritível, enquanto olhava do alto as luzes da cidade adormecida.

As estrelas brilhavam no céu, e a lua cheia parecia acompanhá-los, mostrando-lhes a grandeza da vida e dizendo-lhes que a felicidade existe e pode ser conquistada, quando a alma assume o próprio caminho e faz a parte que lhe cabe, usando o poder do seu espírito para conquistar uma vida melhor.

Fim

GRANDES SUCESSOS DE
ZIBIA GASPARETTO

Com 20 milhões de títulos vendidos, a autora tem contribuído para o fortalecimento da literatura espiritualista no mercado editorial e para a popularização da espiritualidade. Conheça os sucessos da escritora.

Romances
pelo espírito Lucius

A força da vida
A verdade de cada um
A vida sabe o que faz
Ela confiou na vida
Entre o amor e a guerra
Esmeralda
Espinhos do tempo
Laços eternos
Nada é por acaso
Ninguém é de ninguém
O advogado de Deus
O amanhã a Deus pertence
O amor venceu
O encontro inesperado
O fio do destino
O poder da escolha
O matuto
O morro das ilusões
Onde está Teresa?
Pelas portas do coração
Quando a vida escolhe
Quando chega a hora
Quando é preciso voltar
Se abrindo pra vida
Sem medo de viver
Só o amor consegue
Somos todos inocentes
Tudo tem seu preço
Tudo valeu a pena
Um amor de verdade
Vencendo o passado

Crônicas

A hora é agora!

Bate-papo com o Além

Contos do dia a dia

Conversando Contigo!

Pare de sofrer

Pedaços do cotidiano

O mundo em que eu vivo

Voltas que a vida dá

Você sempre ganha!

Coletânea

Eu comigo!

Recados de Zibia Gasparetto

Reflexões diárias

Desenvolvimento pessoal

Em busca de respostas

Grandes frases

O poder da vida

Vá em frente!

Fatos e estudos

Eles continuam entre nós vol. 1

Eles continuam entre nós vol. 2

Rua das Oiticicas, 75 – SP
55 11 2613-4777

contato@vidaeconsciencia.com.br
www.vidaeconsciencia.com.br